강력한 숙명여대 자연계 논술

기출문제

저자 소개

저자 김근현은 현재 탁트인 교육, 일으킨 바람, 에듀코어 대표이다.
前 메가스터디 온라인에서 대입 논술과 면접, 자기소개서, 학생부종합 등 다양한 동영상 강의를 하였다.
현재는 학습 프로그램 개발 및 연구 활동을 통해 교육의 발전을 고민하고 있다.
홍익대학교에서 전자전기공학부를 졸업하고 동대학원에서 전자공학 석사(반도체 레이저)를 전공하였다. 또한 연세대학교 교육경영최고위자 과정을 마쳤으며 연세대학교 교육대학원에서 평생교육 경영을 공부하고 있다.

강력한 숙명여대 자연계 논술 기출 문제

발　행 | 2024년 08월02일
저　자 | 김근현
펴낸이 | 김근현
펴낸곳 | 일으킨 바람
출판사등록 | 2018.11.12.(제2018-000186호)
주　소 | 경기도 고양시 일산서구 하이파크 3로 61 409동 1503호
전　화 | 031-713-7925
이메일 | ileukinbaram@gmail.com

ISBN | 979-11-94255-01-7

www.iluekinbaram.com

강력한 숙명여대 자연계

논술 기출문제

김 근 현 지음

차례

Ⅰ. 숙명여대학교 논술 전형 분석

1. 논술 전형 분석

1) 전형 요소별 반영 비율

전형요소	논술	학생부교과	총합
논술고사	90%	10%	100%
최고점/최저점	900점/675점	100점/75점	1000점/750점

2) 학생부 교과 반영

10%

(ㄱ) 반영교과 및 반영비율

- 인문계, 자연계 : 국어, 수학, 외국어(영어), 사회(역사/도덕, 한국사 포함), 과학
- 학년별 가중치 없음, 교과별 가중치 없음 (전학년 100%)

대 상	인정범위	반영 교과
졸업예정자	1학년 1학기 ~ 3학년 1학기	국어, 영어, 수학, 과학, 사회

- 졸업자 : 3학년 2학기까지

(ㄴ) 환산석차등급별 학생부(교과) 성적 배점표

구분	등급	1등급	2등급	3등급	4등급	5등급	6등급	7등급	8등급	9등급
변환점수		100	98.9	97.8	96.6	95.4	90.4	85.9	81.9	75

(ㄷ) 진로선택과목

- 반영교과 기준 상위 3과목을 등급으로 변환하여 반영함

성취도	A	B	C
석차등급	1	3	5
변환점수	100	97.8	95.4

(ㄹ) 환산석차등급산출 공식

$$\text{환산석차등급 산출공식} = \frac{\sum(\text{반영 교과목 석차등급} \times \text{반영교과목 이수단위})}{\sum(\text{반영교과목 이수단위})}$$

3) 수능 최저학력 기준

● **자연계(약학부 제외) : 4개 영역 [국어, 수학, 영어, 탐구(사회/과학탐구 중 1과목)] 중 *2개 영역* 등급의 *합 5* 이내**

● **약학부 : 4개 영역 [국어, 수학, 영어, 탐구(사회/과학탐구 중 1과목), 수학 반드시 포함] 중 *3개 영역* 등급의 *합 4* 이내**

4) 논술 전형 결과

- 전체합격자 : 최초합격자 + 충원합격자
- 충원율 : (충원인원/모집인원) × 100

학년도	계열	지원현황				충원현황			전체 합격자 논술 성적**
		모집 인원	지원 인원	경쟁률	실질 경쟁률*	충원 인원	전체 합격인원	충원율	평균
2024 학년도	인문 계열	143	5,621	39.31 : 1	15.0 : 1	41	184	29%	850.60
	자연 계열	74	3,122	42.19:1	15.4:1	23	97	31%	825.50
	총계	217	8,743	40.29 : 1	15.1 : 1	64	281	29%	841.94
2023 학년도	인문 계열	143	6,172	43.16 : 1	16.71 : 1	41	184	29%	849.82
	자연 계열	84	2,517	29.96 : 1	11.44 : 1	26	110	31%	795.44
	총계	227	8,689	38.28 : 1	14.76 : 1	67	294	30%	829.48
2022 학년도	인문 계열	146	5,353	36.66 : 1	16.37 : 1	42	188	29%	657.8
	자연 계열	81	2,443	30.16 : 1	12.57 : 1	15	96	19%	638.4
	총계	227	7,796	34.34 : 1	15.01:1	57	284	25%	651.3

*실질경쟁률 : 논술응시자 중 수능최저충족인원/모집인원

**논술성적 : 최고 900점 ~ 최저 675점으로 종합 평가함 (2024~2023학년도)

**논술성적 : 최고 700점 ~ 최저 525점으로 종합 평가함 (2022학년도)

(ㄱ) 2024학년도 논술 전형 결과

모집단위	모집 인원	지원 인원	경쟁률	충원 인원	전체 합격인원	충원율	교과등급 (평균)
화학과	5	189	37.8	1	6	20%	3.98
생명시스템학부	5	230	46.0	1	6	20%	3.78
수학과	5	157	31.4	3	8	60%	3.43
통계학과	4	148	37.0	7	11	175%	3.65
화공생명공학부	8	453	56.6	1	9	13%	4.29
인공지능공학부	7	316	45.1	2	9	29%	3.56
지능형전자시스템전공	6	243	40.5	3	9	50%	3.91
신소재물리전공	3	113	37.7	0	3	0%	4.38
컴퓨터과학전공	6	252	42.0	1	7	17%	3.49
데이터사이언스전공	4	154	38.5	0	4	0%	3.68
기계시스템학부	7	300	42.9	3	10	43%	3.76
기초공학부	4	148	37.0	0	4	0%	4.68
의류학과	4	183	45.8	0	4	0%	3.95
식품영양학과	6	236	39.3	1	7	17%	4.08
자연계열 소계	**74**	**3122**	**42.2**	**23**	**97**	31%	**3.84**

(ㄴ) 2023학년도 논술 전형 결과

모집단위	모집 인원	지원 인원	경쟁률	충원 인원	전체 합격인원	충원율	교과등급 (평균)
화학과	5	112	22.4	1	6	20%	3.75
생명시스템학부	5	181	36.2	1	6	20%	3.43
수학과	5	103	20.6	3	8	60%	4.06
통계학과	4	101	25.3	1	5	25%	4.33
화공생명공학부	9	314	34.9	2	11	22%	3.82
인공지능공학부	8	235	29.4	4	12	50%	3.76
지능형전자시스템전공	6	151	25.2	1	7	17%	4.07
신소재물리전공	3	65	21.7	4	7	133%	4.32
컴퓨터과학전공	6	210	35.0	1	7	17%	4.00
데이터사이언스전공	4	115	28.8	1	5	25%	4.18
기계시스템학부	8	220	27.5	4	12	50%	4.12
기초공학부	11	342	31.1	2	13	18%	3.81
의류학과	4	196	49.0	1	5	25%	4.76
식품영양학과	6	172	28.7	0	6	0%	3.87
자연계열 소계	**84**	**2517**	**30.0**	**26**	**110**	**31%**	**3.98**

(ㄷ) 2022학년도 논술 전형 결과

모집단위	모집 인원	지원 인원	경쟁률	충원 인원	전체 합격인원	충원율	교과등급 (평균)
화학과	5	126	25.2	-	5	0%	4.01
생명시스템학부	5	165	33.0	1	6	20%	4.07
수학과	5	100	20.0	-	5	0%	3.41
통계학과	4	90	22.5	2	6	50%	3.74
화공생명공학부	9	345	38.3	2	11	22%	3.56
ICT융합공학부 -IT공학전공	8	248	31.0	2	10	25%	4.04
ICT융합공학부 -전자공학전공	6	173	28.8	2	8	33%	4.35
소프트웨어학부 -컴퓨터과학전공	6	192	32.0	-	6	0%	3.86
소프트웨어학부 -소프트웨어융합전공	4	113	28.3	1	5	25%	3.43
기계시스템학부	8	226	28.3	2	10	25%	4.08
기초공학부	11	334	30.4	1	12	9%	4.02
의류학과	4	163	40.8	-	4	0%	5.09
식품영양학과	6	168	28.0	2	8	33%	4.07
자연계열 소계	**81**	**2443**	**30.2**	**15**	**96**	**19%**	**3.97**

(ㄹ) 2021학년도 논술 전형 결과

모집단위	모집 인원	지원 인원	경쟁률	충원 인원	전체 합격인원	충원율	교과등급 (평균)
화학과	6	97	16.2	1	7	17%	3.26
생명시스템학부	7	159	22.7	3	10	43%	3.48
수학과	6	77	12.8	1	7	17%	3.41
통계학과	5	92	18.4	1	6	20%	3.57
화공생명공학부	10	231	23.1	3	13	30%	3.69
ICT융합공학부 -IT공학전공	9	159	17.7	2	11	22%	4.01
ICT융합공학부 -전자공학전공	7	106	15.1	1	8	14%	4.13
소프트웨어학부 -컴퓨터과학전공	7	118	16.9	2	9	29%	4.40
소프트웨어학부 -소프트웨어융합전공	5	95	19.0	1	6	20%	4.10
기계시스템학부	9	131	14.6	7	16	78%	3.62
기초공학부	15	281	18.7	7	22	47%	3.94
의류학과	5	135	27.0	2	7	40%	4.35
식품영양학과	7	109	15.6	1	8	14%	4.00
자연계열 소계	**98**	**1790**	**18.3**	**32**	**130**	**33%**	**3.84**

1. 논술 분석

구분	자연계열
출제 근거	고교 교육과정 내 출제
출제 범위	수학, 수학Ⅰ, 수학Ⅱ, 미적분 진로선택 과목은 출제범위에서 제외
논술유형	통합 수리논술형 (자연)
문항 수	3문제 (세부문항 있음)
답안지 형식	밑줄형 노트형
고사 시간	100분

1) 출제 구분 : 계열 구분 (자연계 의류학과는 인문계열 유형!)

2) 출제 유형 : 총 대문제 3 (세부문항 가능)

3) 출제 및 평가내용 :

- 고교교육과정과 연계된 범위에서 통합적 사고력을 평가할 수 있도록 출제
- 풀이과정이나 정답을 요구하는 수리적 문제

2. 출제 문항 수

구분	자연계
문항수	3문제 (각 소문항)

3. 시험 시간

· 100분

4. 필기구

· 연필 또는 검정색 볼펜
(지우개 사용가능, 수정액 및 수정테이프 사용불가)

5. 논술 유의사항

1) 답안 작성 시 유의 사항

1. 시험시간은 100분입니다.
2. 논술 답안은 문항별로 한 가지 필기구(검정색 볼펜 또는 연필)를 선택하여 일관되

게 작성합니다. (수정액, 수정테이프, 색깔펜은 사용을 금지합니다)
3. 답안에 자신을 드러낼 수 있는 표현이나 표시를 하는 경우 실격 처리됩니다.
4. 수정할 사항은 원고지 사용법에 따라 수정합니다.
5. 문제는 총 2문제이고, 답안지는 총 2장입니다.
6. 각 문제별로 지정된 답안지의 정해진 위치에 답안을 작성합니다.
7. 감독위원이 시험시작을 알리기 전까지는 문제를 볼 수 없습니다.
8. 시험 시작 후 문제지의 문항수를 확인합니다.
9. 시험 종료 후 문제지, 답안지, 연습지 모두 감독위원에게 제출합니다.

2) 2025학년도 모의 논술 채점 기준

■ **각 세부 문제별로 다음과 같은 기준을 만족시켜야 한다.**

제시문 <가>와 <나>를 읽고 다음 문제에 답하시오.

1-1. **이차함수** $f(x)=a(x+2)(x-3)$**에 대하여 방정식** $f(f(x))=0$**의 서로 다른 실근의 개수가** 3**일 때, 실수** a**의 값을 구하시오. (단,** $a>0$**)**

1-2. **함수** $f(x)=a\sin x(0\le x\le \pi)$**에 대하여 방정식** $f(f(x))=0$**의 서로 다른 실근의 개수가** 4**일 때, 실수** a**의 범위를 구하시오. (단,** $a>0$**)**

▶ 문제 <1-1>, <1-2>의 세부 기준

1. <1-1>, <1-2>에서 합성함수의 의미를 정확히 이해한다.
2. <1-1>에서 $f(f(x))=0$인 조건을 파악한다.
3. <1-1>에서 합성함수의 정의를 이용해 주어진 방정식이 서로 다른 세 실근을 가질. 조건을 구한다.
4. <1-2>에서 $f(f(x))=0$인 조건을 파악한다.
5. <1-2>에서 삼각함수의 합성을 정확히 이해한다.
6. <1-2>에서 합성함수의 정의를 이용해 주어진 방정식이 서로 다른 네 실근을 가질 조건을 구한다.

1등급: 위의 6가지 기준을 모두 충족시키고 논리 전개가 완벽한 경우
2등급: 위의 6가지 기준을 모두 충족하나 논리 전개나 표현력이 다소 떨어지는 경우
3등급: 위의 6가지 기준 중 5가지 요건을 만족하는 경우
4등급: 위의 6가지 기준 중 3과 6 요건을 충족시키고 나머지 요건 중 2가지를 만족시키는 경우
5등급: 위의 6가지 기준 중 4가지 요건을 만족하는 경우(4등급 기준 제외)
6등급: 위의 6가지 기준 중 3가지 요건을 만족하는 경우
7등급: 위의 6가지 기준 중 2가지 요건을 만족하는 경우
8등급: 위의 6가지 기준 중 1가지 요건을 만족하는 경우
9등급: 위의 6가지 기준을 전혀 충족시키지 못한 경우

※ **제시문 <다>를 읽고 다음 문제에 답하시오.**

2−1. **두 이차함수 $y=x^2$과 $y=x^2-x$의 그래프에 동시에 접하는 직선의 방정식을 구하시오.**

2−2. **두 이차함수 $y=-x^2-2$과 $y=x^2-2ax+a^2+a$의 그래프에 동시에 접하는 직선이 두 개 존재하고 서로 수직으로 만날 때, 실수 a의 값을 구하시오.**

▶ 문제 <2−1>, <2−2>의 세부 기준

1. <2-1>에서 이차함수의 그래프와 직선의 위치관계를 정확히 이해한다.
2. <2-1>에서 이차함수의 그래프와 직선이 접하는 조건을 이용하여 연립방정식을 세운다.
3. <2-1>에서 연립이차방정식을 풀어 두 이차함수의 그래프에 동시에 접하는 직선의 방정식을 바르게 구한다.
4. <2-2>에서 이차함수의 그래프와 직선의 위치관계를 이해하고 연립이차방정식을 구한다.
5. <2-2>에서 연립방정식을 풀어 동시에 접하는 직선이 두 개 존재함을 확인한다.
6. <2-2>에서 두 직선이 수직으로 만날 조건을 이용하여 a의 값을 바르게 구한다.

1등급: 위의 6가지 기준을 모두 충족시키고 논리 전개가 완벽한 경우
2등급: 위의 6가지 기준을 모두 충족하나 논리 전개나 표현력이 다소 떨어지는 경우
3등급: 위의 6가지 기준 중 5가지 요건을 만족하는 경우
4등급: 위의 6가지 기준 중 3과 6 요건을 충족시키고 나머지 요건 중 2가지를 만족시키는 경우
5등급: 위의 6가지 기준 중 4가지 요건을 만족하는 경우(4등급 기준 제외)
6등급: 위의 6가지 기준 중 3가지 요건을 만족하는 경우
7등급: 위의 6가지 기준 중 2가지 요건을 만족하는 경우
8등급: 위의 6가지 기준 중 1가지 요건을 만족하는 경우
9등급: 위의 6가지 기준을 전혀 충족시키지 못한 경우

※ **제시문 <라>와 <마>를 읽고 다음 문제에 답하시오.**

3−1. **함수 $f(x)=\frac{1}{2}+\left(x-\frac{1}{2}\right)^5\cos(2\pi x)$에 대하여, 정적분**

$$\int_0^1 f(x)dx$$

의 값을 구하시오.

3−2. **실수 전체에서 연속인 함수 $f(x)$가 상수 c에 대하여**

$$f(x)+f(c-x)=c$$

를 만족시킨다. $\int_0^c f(x)dx=2$일 때, 상수 c의 값을 모두 구하시오.

▶ 문제 <3−1>, <3−2>의 세부 기준

1. <3-1>, <3-2>에서 치환적분법의 활용을 정확히 이해한다.
2. <3-1>에서 삼각함수의 성질을 파악한다.
3. <3-1>에서 기함수의 정적분을 정확히 구한다.
4. <3-2>에서 $f(x)+f(c-x)=c$의 의미를 정확히 이해하고 활용한다.
5. <3-2>에서 치환적분법을 적용하여 정적분의 값을 구한다.
6. <3-2>에서 실수 c의 값을 정확히 구한다.

1등급: 위의 6가지 기준을 모두 충족시키고 논리 전개가 완벽한 경우
2등급: 위의 6가지 기준을 모두 충족하나 논리 전개나 표현력이 다소 떨어지는 경우
3등급: 위의 6가지 기준 중 5가지 요건을 만족하는 경우
4등급: 위의 6가지 기준 중 3과 6 요건을 충족시키고 나머지 요건 중 2가지를 만족시키는 경우
5등급: 위의 6가지 기준 중 4가지 요건을 만족하는 경우(4등급 기준 제외)
6등급: 위의 6가지 기준 중 3가지 요건을 만족하는 경우
7등급: 위의 6가지 기준 중 2가지 요건을 만족하는 경우
8등급: 위의 6가지 기준 중 1가지 요건을 만족하는 경우
9등급: 위의 6가지 기준을 전혀 충족시키지 못한 경우

II. 기출문제 분석

1. 출제 경향

학년도	교과목	질문 및 주제
2025학년도 모의논술	수학, 수학Ⅰ, 수학Ⅱ, 미적분	함수의 합성, 방정식의 해, 접선, 정적분, 치환적분
2024학년도 수시 논술	수학, 수학Ⅰ, 수학Ⅱ, 미적분	연속함수, 도함수, 롤의 정리, 이계도함수, 함수의 증가와 감소, 정적분, 주기함수, 치환적분법, 이차방정식의 근과 계수의 관계, 방정식의 근
2024학년도 모의 논술	수학, 수학Ⅰ, 수학Ⅱ, 미적분	함수의 증가와 감소, 수학적 귀납법, 정적분, 함수의 극대와 극소, 부등식, 집합, 부분집합, 등비수열
2023학년도 수시 논술	수학, 수학Ⅰ, 수학Ⅱ, 미적분	부분적분, 극소, 수열의 수렴, 덧셈정리, 극한
2023학년도 모의 논술	수학, 수학Ⅰ, 수학Ⅱ, 미적분, 확률과 통계	명제, 적분, 수열, 삼각함수의 활용, 확률
2022년도 수시 논술	수학, 수학Ⅰ, 수학Ⅱ, 미적분	명제, 조합, 수열의 합, 귀류법, 삼각함수, 미분법, 속도와 속력, 극대와 극소, 최대와 최소, 정적분, 치환적분법, 부분적분법
2022학년도 모의 논술	수학, 수학Ⅰ, 수학Ⅱ,	합성함수, 역함수, 미분, 수열, 수학적 귀납법
2021학년도 수시 논술	수학, 수학Ⅰ, 수학Ⅱ, 미적분	함수, 수학적 귀납법, 평균값 정리, 부정적분, 방정식과 부등식, 함수의 증가와 감소, 극대와 극소, 함수의 그래프와 그 활용, 사잇값의 정리
2021학년도 모의 논술	수학, 수학Ⅰ, 수학Ⅱ, 미적분	명제, 평균값 정리, 함수의 증가와 감소, 미분, 급수의 수렴과 발산, 지수함수와 로그함수, 로그함수와 그래프

2. 출제 의도

학년도	출제의도
2025학년도 모의논술	함수, 이차방정식, 함수의 미분과 적분, 도함수의 활용, 정적분, 합성함수 등 수학 영역 이해를 점검 함수의 합성, 함수의 그래프, 접선의 방정식, 이차방정식, 연립방정식, 정적분, 치환적분법 등에 대한 풀이 과정을 논리적으로 전개할 수 있는지를 평가
2024학년도 수시 논술	명제, 함수, 방정식, 미분과 적분 등 수학 영역 이해를 점검 이계도함수의 성질, 정적분, 주기함수, 방정식의 근 등에 대한 풀이 과정을 논리적으로 전개할 수 있는지를 평가
2024학년도 모의 논술	집합, 명제, 함수, 미분과 적분 등은 수학 등 수학 영역 이해를 점검 수학적 귀납법, 함수의 증가와 감소, 극대와 극소의 판정, 부등식, 집합 등에 대한 풀이 과정을 논리적으로 전개할 수 있는지를 평가
2023학년도 수시 논술	함수, 이차방정식, 함수의 미분과 적분, 도함수의 활용, 정적분, 합성함수 등 수학 영역 이해를 점검 함수의 합성, 함수의 그래프, 접선의 방정식, 이차방정식, 연립방정식, 정적분, 치환적분법 등에 대한 풀이 과정을 논리적으로 전개할 수 있는지를 평가
2023학년도 모의 논술	함수, 미분과 적분, 방정식과 부등식, 삼각함수와 그 활용, 명제, 확률과 통계 등 수학 영역 이해를 점검 적분, 삼각함수의 활용과 부등식의 증명, 수열로 나타내어진 확률에 대한 풀이 과정을 논리적으로 전개할 수 있는지를 평가
2022학년도 수시 논술	명제, 조합, 수열의 합, 귀류법, 삼각함수, 미분법, 속도와 속력, 극대와 극소, 최대와 최소, 정적분, 치환 적분법, 부분적분법 등 수학 영역 이해를 점검 조합의 성질, 수열의 합, 귀류법, 여러 가지 미분법, 미분법의 활용, 여러 가지 적분법을 활용한 풀이 과정을 논리적으로 전개할 수 있는지를 평가

학년도	출제의도
2022학년도 모의 논술	함수, 미분과 적분, 방정식과 부등식, 함수의 증가와 감소, 함수의 그래프와 그 활용, 명제, 수학적 귀납법, 절대부등식 등 수학 영역 이해를 점검 1. 함수의 뜻, 일대일대응, 항등함수, 합성함수, 합성에서의 결합법칙, 일차함수, 역함수를 이용한 풀이과정을 논리적으로 전개할 수 있는지 평가 2. 수열의 귀납적 정의 및 다항함수의 미분법, 접선의 방정식을 이용한 풀이과정을 논리적으로 전개할 수 있는지 평가 3. 제시문들을 읽고 함수의 합성, 미분, 수학적 귀납법, 부등식의 증명에 대한 풀이 과정을 논리적으로 전개할 수 있는지를 평가
2021학년도 수시 논술	함수, 수학적 귀납법, 평균값 정리, 부정적분, 방정식과 부등식, 함수의 증가와 감소, 극대와 극소, 함수의 그래프와 그 활용, 사잇값의 정리 등 수학 영역 이해를 점검 수학적 귀납법, 함수의 활용, 평균값 정리, 부정적분, 사잇값의 정리, 함수의 그래프에 대한 풀이 과정을 논리적으로 전개할 수 있는지를 평가
2021학년도 모의 논술	명제, 함수, 미분, 지수함수와 로그함수, 급수 등 수학 영역 이해를 점검 명제의 증명, 평균값 정리, 함수의 증가와 감소, 미분, 급수의 수렴과 발산, 지수함수와 로그함수, 함수의 그래프에 대한 풀이과정을 논리적으로 전개할 수 있는지를 평가

3. 기출 연도별 교과 관련 경향

학년도별 출제 여부 고등학교 교육과정 내용			2015 개정 교육과정								
교과목	영역	내용	25 모의	24 수시	24 모의	23 수시	23 모의	22 수시	22 모의	21 수시	21 모의
수학	다항식	다항식의 연산			○				○		
		나머지정리									
		인수분해							○		
	방정식과 부등식	복소수와 이차방정식									
		이차방정식과 이차함수	○	○		○					
		여러 가지 방정식	○	○							
		여러 가지 부등식			○						
	도형의 방정식	평면좌표									
		직선의 방정식									
		원의 방정식									
		도형의 이동									
	집합과 명제	집합			○						
		명제					○	○	○	○	○
	함수	함수	○						○	○	
		유리함수와 무리함수							○		
	경우의 수	경우의 수			○			○			
수학 I	지수함수 와 로그함수	지수			○						
		로그			○						
		지수함수와 로그함수			○			○			○
	삼각함수	삼각함수	○	○			○	○			

학년도별 출제 여부 고등학교 교육과정 내용			2015 개정 교육과정								
교과목	영역	내용	25 모의	24 수시	24 모의	23 수시	23 모의	22 수시	22 모의	21 수시	21 모의
		사인법칙과 코사인법칙	○	○			○				
	수열	등차수열과 등비수열			○						
		수열의 합						○			
		수학적 귀납법			○	○			○	○	
수학 Ⅱ	함수의 극한과 연속	함수의 극한									
		함수의 연속		○	○					○	
	미분	미분계수와 도함수		○		○					
		도함수의 활용		○		○	○	○	○	○	○
	적분	부정적분과 정적분	○	○	○			○		○	
		정적분의 활용		○	○						
미적분	수열의 극한	수열의 극한				○	○				○
		급수					○				○
	미분법	여러 가지 함수의 미분		○	○	○		○			
		여러 가지 미분법			○	○		○			
		도함수의 활용	○	○			○	○			○
	적분법	여러 가지 적분법	○	○		○	○	○			
		정적분의 활용	○	○			○				

III. 논술이란?

1. 논술이란?

1) 논술이란?

어떤 문제에 대해 자기 나름의 주장이나 견해를 내세운 다음, 여러 가지 근거를 제시하여 그 주장이나 견해가 옳음을 증명하는 글쓰기 활동을 말한다. 따라서 논술의 가장 기본적인 요소는 주장과 근거이다. 다시 말해 어떤 주제에 관해서 자신의 견해를 밝히고 자기 의견을 내세우는 글이 바로 논술이다. 때문에 논술은 특별히 논리적이어야 한다는 요구를 받게 된다. 왜냐하면 여러 가지 의견이 있을 수 있는 문제에 대해 자신의 의견을 세워 다른 사람을 설득하려면, 그 주장이 충분한 근거 위에서 논리적으로 개진될 때만 가능하기 때문이다.

2) 대한민국 논술고사는?

한국에서의 대학 입시 논술고사는 실제 교과 과정과 교과서가 기본이 되어 응용된 사고와 풀이 능력과 지식을 바탕으로 한다. 논술고사는 일반적을 비판적으로 글을 읽는 능력과 창의적으로 문제를 설정하고 해결하는 능력 그리고 논리적으로 서술하는 능력을 종합적으로 평가하는 시험이다. 비판적으로 글을 읽는다는 것은 능동적으로 자신의 관점에서 글을 읽는 것을 말하며, 창의적으로 문제를 설정하고 해결하는 능력이란 심층적이고 다각적으로 논제에 접근함으로써 독창적인 사고와 풀이를 이끌어낼 수 있는 능력을 말한다. 그리고 논리적 서술 능력은 글 구성 능력, 근거 설정 능력, 표현 능력 등을 포괄한다.

3) 자연계 논술? 그리고 그 변화

모든 글은 일반적으로 3가지 종류로 나뉘어진다. 시, 소설 등 문학 작품과 같은 글쓰기인 창작적 글쓰기(creative writing)와 설명문이나 해설문의 글쓰기는 해명적 글쓰기(expository writing), 그리고 논설문의 글쓰기인 비판적 글쓰기(critical writing)가 있다. 이 글쓰기 중 대한민국의 대학입시에서 시행되고 있는 자연계 논술은 창작적 글쓰기는 포함되지 않는다. 새로운 문학 작품을 쓰는게 아니라 제시문을 읽고 내용을 구체화시켜 잘 설명하는 설명문의 형태가 있고, 주어진 문제에 대해 생각하고 깊이있는 주장을 피력하는 비판적 글쓰기도 있다.

2. 논술의 기본 용어

1) 논제 : 논술의 문제를 의미한다.

반드시 해결하고 접근하여야 할 논술 시험의 대상이다.

(ㄱ) 중심 논제 : 채점할 때 가장 배점이 높으며, 핵심적으로 해결해야 할 논술의 문제

(ㄴ) 세부 논제 : 큰 논제 속에 포함된 작은 문제, 각 단계별 채점의 기준이 되며 세부 채점 항목으로 필수 해결 항목이다.

2) 논거 : 논술에서 설명하고 주장하는 논리적인 근거 혹은 이유

3) 주장 : 수험생이 생각하고 채점자에게 알리고 싶은 생각

4) 제시문 : 보기 지문을 말한다.

(ㄱ) 출제자가 논제 해결을 위해 보여주는 다양한 글

(ㄴ) 각종 그래프, 도표, 그림 등

자료가 정해져 있지는 않다. 하지만 고등학교 교과서를 가장 많이 인용하고, 고등학교 교과 과정으로 분석하고 판단할 수 있는 내용을 제시한다.

5) 개요 : 논제에 맞게 더 구체적으로는 세부 논제에 맞게 글의 진행 방향을 간략하게 정리하는 과정이다.

4. 논술의 명령어

논술고사 후 대학의 발표 자료를 보면 논술은 출제자의 의도에 부합하게 글을 써야 한다고 강조한다. 그런데 출제자의 의도를 파악하는 것은 자칫 상당히 모호하고 주관적인 것으로 판단하기 쉽다.

하지만 자연계 논술에서는 명령어가 한정되어 있다. 그 명령어들을 잘 익히고 의미를 파악한다면 훨씬 논술의 이해가 높아질 것이다. 또한 대학의 채점 기준에는 명령어의 요구조건을 충족하는지를 평가한다. 그러므로 자연계 논술의 명령어는 수험생에게는 아주 기초적이지만 필수적이며 절대 잊지 말아야 할 중요한 핵심이다.

1) ~ 에 대해 논술하시오.

; 주장을 밝히고 근거를 제시한다.

2) ~ 에 대해 설명하시오.

: 사실, 주장 등을 쉽게 풀어서 밝힌다.

- **~ 제시문 간의 관련성을 설명하시오.**
- **~ 제시문의 논리적 타당성과 문제점을 설명하시오.**
- **~ 제시문을 참고하여 주어진 자료의 특징을 설명하시오.**
- **~ 제시문의 관점에서 왜 그런 현상이 생기는지 그 이유를 설명하시오.**

3) ~ 의 비교하시오. 혹은 대조하시오.

: 공통점과 차이점을 중심으로 설명한다.

- **~ 공통점과 차이점을 설명하시오.**

4) ~ 을 분석하시오.

: 주제를 구성요소로 나누고 각 부분의 의미와 상호관계를 밝힌다.

5) ~ 제시문과 주어진 자료를 참고하여 현상을 예측해 보시오.

: 주어진 자료를 해석하고 자료로부터 얻을 수 있는 시간에 따른 변화나 자료의 발생 이유를 살핀다.

6) ~ 제시문의 문제점을 지적하고 그 문제점을 해결할 방법을 제시하시오.

: 보통은 수학이나 과학의 역사에서 발생했던 여러 오류나 실험과정에서 나타난 문

제점을 가지고 있다. 또한 이론이나 실험, 학생의 실험보고서 등과 같이 확실한 오류가 있는 제시문을 주기도 한다. 분명히 문제점을 파악하여 답안에 서술하고 문제점이나 해결할 수 있는 방법 등을 명확히 하여야 한다.

● ~ 제시문의 관점에서 왜 그런 현상이 생기는지 그 원리를 설명하고 그런 현상을 예방할 수 있는 방안을 제시하시오.
● ~ 문제점을 지적하고 합리적 대안을 제안해 보시오.
● ~ 주어진 관점을 검증할 수 있는 방법을 논하시오.
● ~ 주어진 문제점을 해결할 수 있는 실험을 설계해 보시오.

7) 제시문의 관점에서 주장을 비판하시오.

: 어떤 주장의 타당성이나 가치 등을 평가한다.

5. 자연계 논술 글쓰기 유의사항

① 논제의 해결이 핵심이다. 출제자가 원하는 답을 써야 한다.

② 논제에 부합하는 글을 일관성 있게 써야 한다.

③ 한편의 글을 완성하여야 한다. 나열하거나 사례를 보여주는 것은 의미가 없다.

④ 제시문을 활용, 인용하는 것과 제시문을 그대로 옮겨 쓰는 것은 다르다. 적절하게 제시문의 내용을 사용하여 논제를 해결하여야 한다. 절대 제시문의 문장을 그대로 쓰면 안 된다. 금기사항이고 감점요인이다.

⑤ 부적절한 문장 즉, 비문을 만들지 말아야 한다. 주어와 서술어가 적절하게 있어 문장의 의미를 명확히 전달하여야 한다. 주어를 생략하거나 지시어를 과도하게 사용하면 문장의 의미가 모호해 진다.

⑥ 문장은 짧고 간결하게 써야 한다. 자신의 의견을 명확히 간결하고 효과적으로 밝혀야 한다.

6. 논술 확인 사항

1. 답안지는 지급된 흑색 볼펜으로 원고지 사용법에 따라 작성하여야 합니다.
(수정액 및 수정테이프 사용 금지)
2. 수험번호와 생년월일을 숫자로 쓰고 컴퓨터용 사인펜으로 ● 표기하여야 합니다.
3. 답안의 작성 영역을 벗어나지 않도록 각별히 유의 바라며, 인적사항 및 답안과
. 관계없는 표기를 하는 경우 결격 처리 될 수 있습니다.
4. 제시된 작성 분량 미 준수 시 감점 처리됨을 유의 바랍니다.

Ⅳ. 자연계 논술 실전

1. 각 대학별 논술 유의사항을 파악하라!

많은 대학에서 글자수 제한을 확인하여야 한다. 그래서 원고지 형이 많지만, 문항별 칸을 만들거나 밑줄 답안 형식도 있다. 논술 시험 시간은 각 대학별로 다양하다. 60분 즉, 한 시간을 시작으로 많게는 2시간까지 (120분)까지 다양하게 있다. 대학별로 준비해야 하는 중요한 이유이다. 답안을 작성하는 필기구도 다양하다. 연필(샤프펜)의 사용이 꾸준히 증가하지만 아직까지 검정색 볼펜이나 청색 볼펜으로 사용하는 학교도 많다. 주의할 것은 수정법이다. 수정은 학교에 따라 수정액, 수정테이프의 사용을 제한하는 경우도 있고 틀리면 두줄을 긋고 써야 하는 곳도 있다. 그러므로 각 대학별 특징을 파악하고, 미리 답안 작성 연습은 물론이고 작성할 때도 대학별로 금지하는 내용을 숙지하고 시험장에 가야 한다.

각 대학별 유의사항 사례

사례 1)

가. 답안은 한글로 작성하되, 글자수 제한은 없다.
나. 제목은 쓰지 말고 특별한 표시를 하지 말아야 한다.
다. 제시문 속의 문장을 그대로 쓰지 말아야 한다.
라. 반드시 본 대학교에서 지급한 필기구를 사용하여야 한다.
마. 수정할 부분이 있는 경우 수정도구를 사용하지 말고 원고지 교정법에 의하여 교정하여야 한다.
바. 본 대학교에서 지급한 필기구를 사용하지 않거나, 수정도구를 사용한 경우, 답안지에 특별한 표시를 한 경우, 또는 원고지의 일정분량 이상을 작성하지 않은 경우에는 감점 또는 0점 처리한다.

사례 2)

Ⅰ. 필요한 경우 한 개 또는 여러 개의 제시문을 선택하여 논의를 전개하고, 사용한 제시문은 꼭 참고문헌 형태로 표시하시오.
예) …[제시문 1-4].
예) …되며[제시문 2-4], …의 경우는 ~을 보여준다[제시문 2-1].
Ⅱ. [문제 1]부터 [문제 4]까지 문제 번호를 쓰고 순서대로 답하시오.
Ⅲ. 연필을 사용하지 말고, 흑색이나 청색 필기구를 사용하시오.
Ⅳ. 인적사항과 관련된 표현을 일절 쓰지 마시오.
Ⅴ. 문제당 배점은 동일함.

사례 3)

◇ 각 문제의 답안은 배부된 OMR 답안지에 표시된 문제지 번호에 맞춰 작성하시오.
◇ 각 문제마다 정해진 글자수(분량)는 띄어쓰기를 포함한 것이며, 정해진 분량에 미달하

거나 초과하면 감점 요인이 됩니다.
◇ 답안지의 수험번호는 반드시 컴퓨터용 수성 사인펜으로 표기하시오.
◇ 답안은 검정색 필기구로 작성하시오. (연필 사용 가능)
◇ 답안 수정시 원고지 교정법을 활용하시오. (수정 테이프 또는 연필지우개 사용 가능)
◇ 답안 내용 및 답안지 여백에는 성명, 수험번호 등 개인 신상과 관련된 어떤 내용, 불필요한 기표하면 감점 처리됩니다.

사례 4)
◆ 답안 작성 시 유의사항 ◆
□ 논술고사 시간은 90분이며, 답안의 자수 제한은 없습니다.
□ 1번 문항의 답은 답안지 1면에 작성해야 하고, 2번 문항의 답은 답안지 2면에 작성해야 합니다. 1, 2번을 바꾸어 작성하는 경우 모두 '0점 처리'됩니다.
□ 연습지는 별도로 제공하지 않습니다. 필요한 경우 문제지의 여백을 이용하시기 바랍니다.
□ 답안은 검정색 또는 파란색 펜으로만 작성하며 연필, 샤프는 사용할 수 없습니다.
□ 답안 수정은 수정할 부분에 두 줄로 긋거나 수정테이프(수정액은 사용 불가)를 사용해서 수정합니다.
□ 답안지에는 답 이외에 아무 표시도 해서는 안 됩니다.
□ 답안지 교체는 고사 시작 후 70분까지 가능하며, 그 이후는 교체가 불가합니다.

2. 제시문에 먼저 눈을 두지 말고 문제를 파악하라!!!

대학별 고사인 논술의 어려운 점은 시간의 제한이 있는 글쓰기 시험이라는 것이다. 자유롭게 잘 쓸 수 있는 내용일지라도 시간의 제한이 있으면 얘기가 달라진다. 특히 지금과 같이 각 대학별로 다양하게 등장하는 시험에 익숙하지 않은 수험생에게는 더 큰 부담으로 작용을 한다.

대학에서는 다양하게 제시문과 문제를 분포시킨다. 문제를 등장시키고 제시문이 등장하는 경우, 그림과 도표, 그래프 등과 같이 자료를 제시하고 제시문과 문제를 함께 등장시키는 경우, 제시문을 많이 등장시키고 마지막에 문제를 제시하는 경우 등... 이렇듯 다양한 문제에 시간의 적절한 활용은 대학별 고사의 실전에서는 당락을 결정하는 중요 요소이다.

이러한 실전적 논술에서 핵심은 바로 목적을 가지고 제시문의 읽기가 선행되어야 한다. 글 읽기의 핵심은 문제을 통해 논제를 구체적으로 파악하고 그 논제에 부합하게 제시문을 분석하는 것이다.

① 문제를 먼저 확인하라!! - 제시문을 읽고 문제를 보면 다시 긴 제시문을 또 읽어 시간을 낭비한다.
② 세부 논제 확인하라!! - 한 문제라도 그 문제 속에 다루는 논제는 여러 개가 될 수 있

다. 그 질문 내용을 파악하라. 그리고 요구한 논제에 맞게 글을 구성한다.
③ 전제적 요건 파악하라!! - 각 문제의 전제적 요건 및 글로 표현된 부연 설명 등이 중요한 키워드가 될 수 있다.

Ⅴ. 숙명여자대학교 기출

1. 2025학년도 숙명여대 모의 논술

<가>

세 집합 X, Y, Z에 대하여 두 함수

$$f: X \to Y,\ g: Y \to Z$$

가 주어질 때, 집합 X의 각 원소 x에 대하여 $f(x)$는 집합 Y의 원소이고, 집합 Y의 원소 $f(x)$에 대하여 $g(f(x))$는 집합 Z의 원소이다. 따라서 집합 X의 각 원소 x에 집합 Z의 원소 $g(f(x))$를 대응시키면 X를 정의역, Z를 공역으로 하는 새로운 함수를 정의할 수 있다.

이 새로운 함수를 f와 g의 합성함수라 하며, 이것을 기호로

$$g \circ f: X \to Z$$

와 같이 나타낸다.

또 합성함수 $g \circ f: X \to Z$에 대하여 x에서의 함숫값을 기호로

$$(g \circ f)(x)$$

와 같이 나타낸다. 이때 X의 임의의 원소 x에 Z의 원소 $g(f(x))$가 대응하므로

$$(g \circ f)(x) = g(f(x))$$

이다. 따라서 f와 g의 합성함수를

$$y = g(f(x))$$

와 같이 나타낼 수도 있다.

<나>

방정식 $f(x) = g(x)$의 실근은 두 함수 $y = f(x)$와 $y = g(x)$의 그래프의 교점의 x좌표와 같다. 따라서 방정식 $f(x) = g(x)$의 서로 다른 실근의 개수는 두 함수 $y = f(x)$와 $y = g(x)$의 그래프의 교점의 개수와 같다.

제시문 <가>와 <나>를 읽고 다음 문제에 답하시오.

1-1. **이차함수 $f(x) = a(x+2)(x-3)$에 대하여 방정식 $f(f(x)) = 0$의 서로 다른 실근의 개수가 3일 때, 실수 a의 값을 구하시오. (단, $a > 0$)**

1-2. **함수 $f(x) = a\sin x\,(0 \le x \le \pi)$에 대하여 방정식 $f(f(x)) = 0$의 서로 다른 실근의 개수가 4일 때, 실수 a의 범위를 구하시오. (단, $a > 0$)**

<다>

이차함수 $y=ax^2+bx+c$의 그래프와 직선 $y=mx+n$의 교점의 x좌표는 방정식 $ax^2+bx+c=mx+n$, 즉

$$ax^2+(b-m)x+c-n=0 \quad \cdots\cdots \quad ①$$

의 실근과 같다. 따라서 이차함수 $y=ax^2+bx+c$의 그래프와 직선 $y=mx+n$의 위치 관계는 이차 방정식 ①의 판별식

$$D=(b-m)^2-4a(c-n)$$

의 값의 부호에 따라 다음과 같다.

(1) $D>0$이면 서로 다른 두 점에서 만난다.

(2) $D=0$이면 한 점에서 만난다. (접한다.)

(3) $D<0$이면 만나지 않는다.

※ 제시문 <다>를 읽고 다음 문제에 답하시오.

2-1. **두 이차함수 $y=x^2$과 $y=x^2-x$의 그래프에 동시에 접하는 직선의 방정식을 구하시오.**

2-2. **두 이차함수 $y=-x^2-2$과 $y=x^2-2ax+a^2+a$의 그래프에 동시에 접하는 직선이 두 개 존재하고 서로 수직으로 만날 때, 실수 a의 값을 구하시오.**

<라>

임의의 실수 a, b를 포함하는 구간에서 연속인 함수 $f(x)$의 한 부정적분을 $F(x)$라고 하면

$$\int_a^b f(x)dx = [F(x)]_a^b = F(b) - F(a)$$

이다.

<마>

닫힌구간 $[a, b]$에서 연속인 함수 $f(x)$와 미분가능한 함수 $x = g(t)$에 대하여 $a = g(\alpha)$, $b = g(\beta)$일 때 $x = g(t)$의 도함수 $g'(t)$가 α, β를 포함하는 구간에서 연속이면

$$\int_a^b f(x)dx = \int_\alpha^\beta f(g(t))g'(t)dt$$

이다.

※ 제시문 <라>와 <마>를 읽고 다음 문제에 답하시오.

3-1. **함수** $f(x) = \frac{1}{2} + \left(x - \frac{1}{2}\right)^5 \cos(2\pi x)$**에 대하여, 정적분**

$$\int_0^1 f(x)dx$$

의 값을 구하시오.

3-2. **실수 전체에서 연속인 함수** $f(x)$**가 상수** c**에 대하여**

$$f(x) + f(c - x) = c$$

를 만족시킨다. $\int_0^c f(x)dx = 2$**일 때, 상수** c**의 값을 모두 구하시오.**

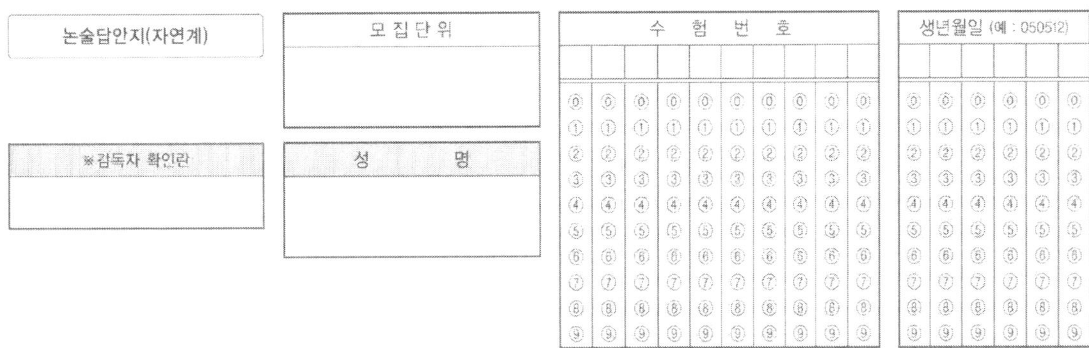

문항 【1】 반드시 해당 문항의 답을 작성해야 함

이 줄 아래에 답안을 작성하거나 낙서할 경우 판독이 불가능하여 채점 불가

이 줄 위에 답안을 작성하거나 낙서할 경우 판독이 불가능하여 채점 불가

문항 【2】 반드시 해당 문항의 답을 작성해야 함

이 줄 아래에 답안을 작성하거나 낙서할 경우 판독이 불가능하여 채점 불가

이 줄 위에 답안을 작성하거나 낙서할 경우 판독이 불가능하여 채점 불가

문항 【3】 반드시 해당 문항의 답을 작성해야 함

3

이 줄 아래에 답안을 작성하거나 낙서할 경우 판독이 불가능하여 채점 불가

2. 2025학년도 숙명여대 모의 논술 (약학부)

<가>

세 집합 X, Y, Z에 대하여 두 함수

$$f: X \to Y,\ g: Y \to Z$$

가 주어질 때, 집합 X의 각 원소 x에 대하여 $f(x)$는 집합 Y의 원소이고, 집합 Y의 원소 $f(x)$에 대하여 $g(f(x))$는 집합 Z의 원소이다. 따라서 집합 X의 각 원소 x에 집합 Z의 원소 $g(f(x))$를 대응시키면 X를 정의역, Z를 공역으로 하는 새로운 함수를 정의할 수 있다.

이 새로운 함수를 f와 g의 합성함수라 하며, 이것을 기호로

$$g \circ f: X \to Z$$

와 같이 나타낸다.

또 합성함수 $g \circ f: X \to Z$에 대하여 x에서의 함숫값을 기호로

$$(g \circ f)(x)$$

와 같이 나타낸다. 이때 X의 임의의 원소 x에 Z의 원소 $g(f(x))$가 대응하므로

$$(g \circ f)(x) = g(f(x))$$

이다. 따라서 f와 g의 합성함수를

$$y = g(f(x))$$

와 같이 나타낼 수도 있다.

<나>

방정식 $f(x) = g(x)$의 실근은 두 함수 $y = f(x)$와 $y = g(x)$의 그래프의 교점의 x좌표와 같다. 따라서 방정식 $f(x) = g(x)$의 서로 다른 실근의 개수는 두 함수 $y = f(x)$와 $y = g(x)$의 그래프의 교점의 개수와 같다.

제시문 <가>와 <나>를 읽고 다음 문제에 답하시오.

1-1. **이차함수 $f(x) = a(x+2)(x-3)$에 대하여 방정식 $f(f(x)) = 0$의 서로 다른 실근의 개수가 3일 때, 실수 a의 값을 구하시오. (단, $a > 0$)**

1-2. **함수 $f(x) = a\sin x\,(0 \le x \le \pi)$에 대하여 방정식 $f(f(x)) = 0$의 서로 다른 실근의 개수가 4일 때, 실수 a의 범위를 구하시오. (단, $a > 0$)**

<다>

이차함수 $y=ax^2+bx+c$의 그래프와 직선 $y=mx+n$의 교점의 x좌표는 방정식 $ax^2+bx+c=mx+n$, 즉

$$ax^2+(b-m)x+c-n=0 \quad \cdots\cdots \quad ①$$

의 실근과 같다. 따라서 이차함수 $y=ax^2+bx+c$의 그래프와 직선 $y=mx+n$의 위치 관계는 이차 방정식 ①의 판별식

$$D=(b-m)^2-4a(c-n)$$

의 값의 부호에 따라 다음과 같다.

(1) $D>0$이면 서로 다른 두 점에서 만난다.

(2) $D=0$이면 한 점에서 만난다. (접한다.)

(3) $D<0$이면 만나지 않는다.

※ 제시문 <다>를 읽고 다음 문제에 답하시오.

2-1. **두 이차함수 $y=-x^2-2$과 $y=x^2-2ax+a^2+a$의 그래프에 동시에 접하는 직선이 두 개 존재하고 서로 수직으로 만날 때 실수 a의 값을 구하시오.**

2-2. **두 이차함수 $y=-x^2-2$과 $y=x^2-2ax+a^2+a$의 그래프에 동시에 접하는 직선이 두 개 존재하고 서로 수직으로 만날 때, 실수 a의 값을 구하시오.**

<라>

임의의 실수 a, b를 포함하는 구간에서 연속인 함수 $f(x)$의 한 부정적분을 $F(x)$라고 하면

$$\int_a^b f(x)dx = [F(x)]_a^b = F(b) - F(a)$$

이다.

<마>

닫힌구간 $[a, b]$에서 연속인 함수 $f(x)$와 미분가능한 함수 $x = g(t)$에 대하여 $a = g(\alpha)$, $b = g(\beta)$일 때 $x = g(t)$의 도함수 $g'(t)$가 α, β를 포함하는 구간에서 연속이면

$$\int_a^b f(x)dx = \int_\alpha^\beta f(g(t))g'(t)dt$$

이다.

※ 제시문 <라>와 <마>를 읽고 다음 문제에 답하시오.

3-1. **실수 전체에서 연속인 함수 $f(x)$가 상수 c에 대하여**

$$f(x) + f(c-x) = c$$

를 만족시킨다. $\int_0^c f(x)dx = 2$일 때, 상수 c의 값을 모두 구하시오.

3-2. **실수 전체에서 연속인 함수 $f(x)$가 상수 c에 대하여**

$$f(x) + f(c-x) = c$$

를 만족시킨다. 정적분

$$\int_{\frac{c}{4}}^{\frac{3c}{4}} f(f(x))dx$$

의 값을 구하시오.

논술답안지(자연계)

모 집 단 위

※감독자 확인란

성 명

수 험 번 호									
⓪	⓪	⓪	⓪	⓪	⓪	⓪	⓪	⓪	⓪
①	①	①	①	①	①	①	①	①	①
②	②	②	②	②	②	②	②	②	②
③	③	③	③	③	③	③	③	③	③
④	④	④	④	④	④	④	④	④	④
⑤	⑤	⑤	⑤	⑤	⑤	⑤	⑤	⑤	⑤
⑥	⑥	⑥	⑥	⑥	⑥	⑥	⑥	⑥	⑥
⑦	⑦	⑦	⑦	⑦	⑦	⑦	⑦	⑦	⑦
⑧	⑧	⑧	⑧	⑧	⑧	⑧	⑧	⑧	⑧
⑨	⑨	⑨	⑨	⑨	⑨	⑨	⑨	⑨	⑨

생년월일 (예 : 050512)					
⓪	⓪	⓪	⓪	⓪	⓪
①	①	①	①	①	①
②	②	②	②	②	②
③	③	③	③	③	③
④	④	④	④	④	④
⑤	⑤	⑤	⑤	⑤	⑤
⑥	⑥	⑥	⑥	⑥	⑥
⑦	⑦	⑦	⑦	⑦	⑦
⑧	⑧	⑧	⑧	⑧	⑧
⑨	⑨	⑨	⑨	⑨	⑨

문항 【1】 반드시 해당 문항의 답을 작성해야 함

이 줄 아래에 답안을 작성하거나 낙서할 경우 판독이 불가능하여 채점 불가

이 줄 위에 답안을 작성하거나 낙서할 경우 판독이 불가능하여 채점 불가

문항 【2】 반드시 해당 문항의 답을 작성해야 함

2

이 줄 아래에 답안을 작성하거나 낙서할 경우 판독이 불가능하여 채점 불가

이 줄 위에 답안을 작성하거나 낙서할 경우 판독이 불가능하여 채점 불가

문항 【3】 반드시 해당 문항의 답을 작성해야 함

3

이 줄 아래에 답안을 작성하거나 낙서할 경우 판독이 불가능하여 채점 불가

3. 2024학년도 숙명여대 수시 논술

<가>

● 함수 $f(x)$가 열린구간 $(a,\ b)$에서 $f''(x)<0$이면 그 구간에서 $f'(x)$는 감소한다. 이때,

1) 열린구간 $(a,\ b)$에 속하는 어떤 실수 c_1에 대하여 $f'(c_1)>0$이면, 열린구간 $(a,\ c_1)$에서 $f'(x)>0$이므로 함수 $f(x)$는 열린구간 $(a,\ c_1)$에서 증가한다.

2) 열린구간 $(a,\ b)$에 속하는 어떤 실수 c_2에 대하여 $f'(c_2)<0$이면, 열린구간 $(c_2,\ b)$에서 $f'(x)<0$이므로 함수 $f(x)$는 열린구간 $(c_2,\ b)$에서 감소한다.

● <롤의 정리>

함수 $f(x)$가 닫힌구간 $[a,\ b]$에서 연속이고 열린구간 $(a,\ b)$에서 미분가능할 때, $f(a)=f(b)$이면 $f'(c)=0$인 c가 열린구간 $(a,\ b)$에 적어도 하나 존재한다.

<나>

①

> 함수 $f(x)$가 닫힌구간 $[a,\ b]$에서 연속이고, $f(a)=0$, $f(b)=0$을 만족시킬 때, 열린구간 $(a,\ b)$에서 $f''(x)<0$이면, 닫힌구간 $[a,\ b]$에서 $f(x)\geq 0$이다.

● 함수 $g(x)=\sqrt{x}$, $h(x)=x$에 대하여, 부등식

$$\int_0^1 h(x)dx \leq \int_0^1 g(x)dx \quad \cdots\cdots(1)$$

가 성립함을 보이자. 함수 $F(x)=g(x)-h(x)$는 $F(0)=0$, $F(1)=0$이고,

열린구간 $(0,\ 1)$에서 $F''(x)=-\dfrac{1}{4x\sqrt{x}}<0$이다. 그러면 명제 ①에 의하여

닫힌구간 $[0,\ 1]$에서 $F(x)\geq 0$이므로 이 구간에서 $h(x)\leq g(x)$이고 부등식 (1)이 성립한다.

※ 제시문 <가>와 <나>를 읽고 다음 문제에 답하시오.

1-1. **제시문 <가>를 이용하여, 제시문 <나>에 있는 명제 ①이 참임을 증명하시오.**

1-2. **실수 전체의 집합에서 미분가능한 함수 $f(x)$는 열린구간 $(a,\ b)$에서 $f''(x)<0$을 만족시킨다.**

이 때,

$$(b-a)\{f(a)+f(b)\}\leq 2\int_a^b f(x)dx$$

임을 보이시오.

<다>

함수 $y=f(x)$의 정의역에 속하는 모든 x에 대하여

$$f(x+p)=f(x)$$

를 만족시키는 0이 아닌 상수 p가 존재할 때, 함수 $y=f(x)$를 주기함수라 하고 상수 p중에서 최소인 양수를 그 함수의 주기라고 한다.

두 주기함수의 곱의 정적분을 생각해보자. 예를 들어, 연속함수 $G(x)$가 모든 실수 x에 대하여 $G(x+\pi)=G(x)$를 만족시킬 때, 임의의 자연수 n에 대하여

$$a=\int_0^{2\pi} G(x)\sin x dx,\quad b=\int_{2n\pi}^{2(n+1)\pi} G(x)\sin x dx$$

라 하면, $a=b=0$임을 다음과 같이 보일 수 있다.

$x-2n\pi=t$로 놓으면, $\dfrac{dx}{dt}=1$이고

$$b=\int_0^{2\pi} G(t+2n\pi)\sin(t+2n\pi)dt=\int_0^{2\pi} G(t)\sin t dt=a$$

이다. 이제 정적분의 성질을 이용하여 적분 구간을 나누면

$$a=\int_0^{2\pi} G(x)\sin x dx=\int_0^{\pi} G(x)\sin x dx+\int_{\pi}^{2\pi} G(x)\sin x dx$$

이다. 이때, $\displaystyle\int_{\pi}^{2\pi} G(x)\sin x dx$의 값을 구하기 위해, $x-\pi=u$로 놓으면 $\dfrac{dx}{du}=1$이고

$$\int_{\pi}^{2\pi} G(x)\sin x dx=\int_0^{\pi} G(u+\pi)\sin(u+\pi)du=-\int_0^{\pi} G(u)\sin u du$$

이다. 따라서 (1)에 의하여 $a=0$이다.

<라>

$\displaystyle\int_{-1}^{1}\frac{1}{e^x+1}dx$의 값을 생각해보자.

$$\int_{-1}^{1}\frac{1}{e^x+1}dx=\int_{-1}^{1}\frac{e^{-x}}{1+e^{-x}}dx=-\left[\ln(1+e^{-x})\right]_{-1}^{1}=-\ln\frac{1+e^{-1}}{1+e}=1$$

이다. 한편,

$$\int_{-1}^{1}\frac{1}{e^x+1}dx=\int_{-1}^{1}\frac{e^x}{e^x+1}dx$$

이다.

※ 제시문 <다>와 <라>를 읽고 다음 문제에 답하시오.

2-1. **연속함수** $g(x)$**는 모든 실수** x**에 대하여** $g(x+1)=g(x)$**를 만족시키고, 연속함수** $h(x)$**는 모든 실수** x**에 대하여** $h(x+2)=h(x)$**를 만족시키고**

$$h(x)=\begin{cases} x & (0\le x<1) \\ 2-x & (1\le x<2) \end{cases}$$

이다. 정적분 $\int_0^2 g(x)h(x)dx$의 값을 A라 할 때, 임의의 자연수 n에 대하여 정적분

$$\int_{2n}^{2(n+1)} g(x)h(x)dx, \quad \int_0^1 g(x)dx$$

의 값을 각각 구하시오.

2-2. 연속함수 $f(x)$가 모든 실수 x에 대하여 $f(x)>0$이고 $f(x)f(-x)=1$을 만족시킬 때, 정적분

$$\int_{-1}^{1} \frac{1}{\{f(x)\}^4+1} dx$$

의 값을 구하시오.

<마>

<이차방정식의 근과 계수의 관계>

이차방정식 $ax^2+bx+c=0$의 두 근을 α, β라 하면

$$\alpha+\beta=-\frac{b}{a},\quad \alpha\beta=\frac{c}{a}$$

이다.

<바>

② 이차방정식 $F(x)=0$의 두 근이 유리수이면 방정식 $F'(x)=0$의 근은 유리수이다.

a, b는 실수이고 $a\le\frac{1}{4}$일 때, 삼차함수 $f(x)=(x^2+x+a)(x-b)$를 생각해보자. 이때,

$$x^2+x+a=\left(x+\frac{1}{2}\right)^2-\frac{1}{4}+a=\left(x+\frac{1}{2}\right)^2-\frac{1-4a}{4}$$

이다. 따라서 두 방정식 $f(x)=0$, $f'(x)=0$은 각각

$$\left\{\left(x+\frac{1}{2}\right)^2-\frac{1-4a}{4}\right\}\left\{\left(x+\frac{1}{2}\right)-\left(b+\frac{1}{2}\right)\right\}=0,$$

$$3\left(x+\frac{1}{2}\right)^2-2\left(b+\frac{1}{2}\right)\left(x+\frac{1}{2}\right)-\frac{1-4a}{4}=0\ \cdots\cdots$$

이 된다. 이제

$$x+\frac{1}{2}=t,\ b+\frac{1}{2}=u,\ \frac{1-4a}{4}=v^2$$

으로 놓으면, x에 대한 삼차방정식

①은 t에 대한 삼차방정식

$$(t^2-v^2)(t-u)=0\ \cdots\cdots\ (4)$$

이 된다. 이때, 방정식 ④의 근 u와 $\pm v$가 유리수이면 ③에 의해 b는 유리수가 되고 $1-4a=4v^2$이므로 x에 대한 삼차방정식 $f(x)=0$의 세 근 $\frac{-1\pm 2v}{2}$, b는 유리수이다.

이때, 방정식 ④의 좌변을 t에 대하여 미분한 후, 방정식

$$3t^2-2ut-v^2=0$$

을 생각하면, 방정식 ⑤는 ③에 의해 방정식 ②와 같다. t에 대한 이차방정식 ⑤의 근은

$$\frac{u\pm\sqrt{u^2+3v^2}}{3}$$

이다.

※ 제시문 <마>와 <바>를 읽고 다음 문제에 답하시오.

3－1. **b가 자연수일 때, 삼차함수 $g(x)=x(x-1)(x-b)$에 대하여 방정식 $g'(x)=0$의 두 근이 동시에 정수가 될 수 없음을 제시문 <마>를 이용하여 보이시오.**

3－2. **제시문 <바>에 있는 명제 ②가 참임을 증명하시오.**

또한 t**에 대한 삼차방정식 (4)에서** $u=1$**일 때, 제시문 <바>에 있는 삼차함수** $f(x)$ **에 대하여 세 방정식**

$$f(x)=0,\quad f'(x)=0,\quad f''(x)=0$$

의 모든 근이 유리수가 되게 하는 4**이하의 자연수** v**를 식 (6)을 이용하여 모두 찾고, 이에 대응하는 삼차함수**

$$f(x)=(x^2+x+a)(x-b)$$

를 각각 구하시오.

논술답안지(자연계)

모집단위

※감독자 확인란

성 명

수 험 번 호									
0	0	0	0	0	0	0	0	0	0
1	1	1	1	1	1	1	1	1	1
2	2	2	2	2	2	2	2	2	2
3	3	3	3	3	3	3	3	3	3
4	4	4	4	4	4	4	4	4	4
5	5	5	5	5	5	5	5	5	5
6	6	6	6	6	6	6	6	6	6
7	7	7	7	7	7	7	7	7	7
8	8	8	8	8	8	8	8	8	8
9	9	9	9	9	9	9	9	9	9

생년월일 (예 : 050512)					
0	0	0	0	0	0
1	1	1	1	1	1
2	2	2	2	2	2
3	3	3	3	3	3
4	4	4	4	4	4
5	5	5	5	5	5
6	6	6	6	6	6
7	7	7	7	7	7
8	8	8	8	8	8
9	9	9	9	9	9

문항 【1】 반드시 해당 문항의 답을 작성해야 함

1

이 줄 아래에 답안을 작성하거나 낙서할 경우 판독이 불가능하여 채점 불가

이 줄 위에 답안을 작성하거나 낙서할 경우 판독이 불가능하여 채점 불가

문항 【2】 반드시 해당 문항의 답을 작성해야 함

이 줄 아래에 답안을 작성하거나 낙서할 경우 판독이 불가능하여 채점 불가

이 줄 위에 답안을 작성하거나 낙서할 경우 판독이 불가능하여 채점 불가

문항 【3】 반드시 해당 문항의 답을 작성해야 함

이 줄 아래에 답안을 작성하거나 낙서할 경우 판독이 불가능하여 채점 불가

4. 2024학년도 숙명여대 모의 논술

<가>

● 자연수 n에 대한 명제 $p(n)$이 모든 자연수에서 성립한다는 것은 수학적 귀납법을 이용하여 증명할 수 있다. 수학적 귀납법을 이용하여 다음 명제를 증명해 보자.

㉠ $n \geq 3$인 모든 자연수에 대하여

$$k\ln k > (k-1)\ln(k+1)$$

이다.

먼저 $n=3$일 때를 생각하면,

$$(\text{좌변}) = 3\ln 3 = \ln 3^3 = \ln 27,\ (\text{우변}) = 2\ln 4 = \ln 4^2 = \ln 16$$

이다. 따라서 $n=3$일 때 주어진 부등식이 성립한다.

$n=k(k \geq 3)$일 때 주어진 부등식이 성립한다고 가정하면

$$k\ln k > (k-1)\ln(k+1)$$

이다. $n=k+1$일 때를 생각하면,

$$\begin{aligned}(k+1)\ln(k+1) &= (k+1)\ln(k+1) - k\ln k + k\ln k \\ &> (k+1)\ln(k+1) - k\ln k + (k-1)\ln(k+1) \\ &= 2k\ln(k+1) - k\ln k = k\ln\frac{(k+1)^2}{k} = k\ln\left(k+2+\frac{1}{k}\right) \\ &> k\ln(k+2)\end{aligned}$$

이다. 따라서 $(k+1)\ln(k+1) > k\ln(k+2)$이므로, $n=k+1$일 때도 성립한다.

● 함수 $f(x)$가 닫힌구간 $[a, b]$에서 연속이고 열린구간 (a, b)에서 미분가능할 때, (a, b)의 모든 x에 대하여 $f'(x) > 0$이면 $f(x)$는 $[a, b]$에서 증가하고, $f'(x) < 0$이면 $f(x)$는 $[a, b]$에서 감소한다. $x \geq 1$인 모든 실수에 대하여 함수 $f(x) = x\ln x$는 증가함을 보이자. $f(x)$의 도함수는

$$f'(x) = \ln x + x \times \frac{1}{x} = \ln x + 1$$

이다. 한편 $x \geq 1$일 때, $\ln x + 1 \geq 1 > 0$이므로 $f'(x) > 0$이다. 따라서 $f(x)$는 $x \geq 1$에서 증가한다.

제시문 <가>를 읽고 다음 문제에 답하시오.

1-1. $n \geq 3$**인 모든 자연수에 대하여**

$$(n+1)\ln n > n\ln(n+1)$$

임을 수학적 귀납법으로 보이시오.

1-2. $x \geq 3$**인 모든 실수에 대하여**

$$\frac{\ln x}{x} > \frac{\ln(x+1)}{x+1}$$

임을 보이시오. (단, 무리수 $e = 2.72$**이다.)**

<나>

함수 $f(x)$에서 $x=a$를 포함하는 어떤 열린구간에 속하는 모든 x에 대하여 $f(x) \leq f(a)$이면 함수 $f(x)$는 $x=a$에서 극대라고 하며, 그때의 함숫값 $f(a)$를 극댓값이라고 한다.

함수 $f(x)$에서 $x=b$를 포함하는 어떤 열린구간에 속하는 모든 x에 대하여 $f(x) \geq f(b)$이면 함수 $f(x)$는 $x=b$에서 극소라고 하며, 그때의 함숫값 $f(b)$를 극솟값이라고 한다. 이때, 극댓값과 극솟값을 통틀어 극값이라고 한다. 함수 $f(x)$가 미분가능할 때, 도함수 $f'(x)$의 부호를 이용하여 극값을 판정할 수 있다. 예를 들면, 사차함수 $f(x)=x^4-2x^2$은 도함수가

$$f'(x)=4x(x+1)(x-1)$$

이므로, $x=0$에서 극대이고, 극댓값은 $f(0)=0$, 그리고 $x=-1$, $x=1$에서 극소이고, 극솟값은

$$f(-1)=f(1)=-1$$

이다. 이 경우 함수 $f(x)$의 극값은 0과 -1이므로 서로 다른 극값의 개수는 2이다.

이제 삼차함수

$$g(x)=2x^3+3x^2-12x-c$$

에 대하여, 실수 c의 값의 범위가 $-7<c<20$일 때, 함수 $|g(x)|$의 서로 다른 극값의 개수가 2가 되게 하는 실수 c의 값을 구해 보자. 함수 $g(x)$는 실수 전체의 집합에서 미분가능하고 도함수는

$$g'(x)=6(x+2)(x-1)$$

이다.

함수 $g(x)$는 $x=-2$, $x=1$에서 각각 극댓값 $g(-2)=20-c$, 극솟값 $g(1)=-7-c$를 갖는다. 이때, 실수 c의 값의 범위가 $-7<c<20$이므로 $g(-2)>0$이고 $g(1)<0$이다.

이제 함수 $|g(x)|$의 극대와 극소를 조사해 보자. $x=-2$를 포함하는 어떤 열린구간에 속하는 모든 x에 대하여

$$|g(x)| \leq |g(-2)|$$

이고, $x=1$을 포함하는 어떤 열린구간에 속하는 모든 x에 대하여

$$|g(x)| \leq |g(1)|$$

이므로, 함수 $|g(x)|$는 $x=-2$에서 극댓값,

$$|g(-2)|=|20-c|=20-c,$$

$x=1$에서 극댓값,

$$|g(1)|=|-7-c|=7+c$$

를 갖는다. 또한, 함수 $|g(x)|$는 $g(x)=0$을 만족시키는 x에서 극솟값을 갖는다.

한편

$$|g(-2)| \neq 0, \ |g(1)| \neq 0$$

이므로 함수 $|g(x)|$의 서로 다른 극값의 개수가 2인 경우는 $|g(-2)|=|g(1)|$밖에 없다.

이때, 이를 만족시키는 실수 c의 값은 $\frac{13}{2}$이다. <그림 1>과 <그림 2>는 $c=\frac{13}{2}$일 때, $y=g(x)$의 그래프와 $y=|g(x)|$의 그래프를 각각 그린 것이다.

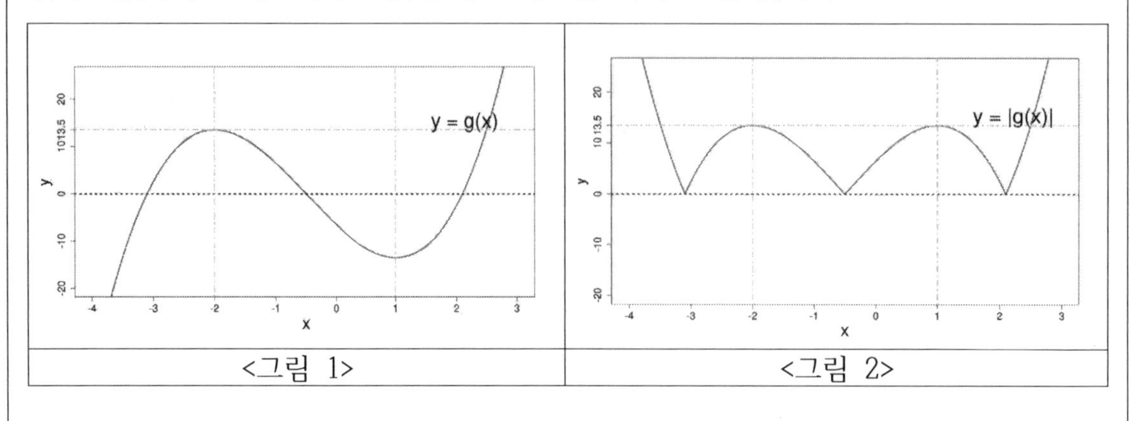

<그림 1>	<그림 2>

제시문 <나>를 읽고 다음 문제에 답하시오.

2－1. **삼차함수** $g(x)=-4x^3+6x^2+24x+5$**와 다항함수** $f(x)$**는**

$$\int_0^x \{g'(t)+g(t)\}dt = xg(x)+f(x)+c \quad \cdots\cdots \quad ①$$

를 만족시킨다. 방정식 $f(x)=0$**이 서로 다른 세 실근을 갖도록 하는 실수** c**의 값을 모두 구하시오.**

2－2. **다항함수** $f(x)$**는 문제 2－1의 ①을 만족시킨다. 이때,** $-19<c<8$**인 실수** c**에 대하여** $|f(x)|$**의 서로 다른 극값의 개수가 3이 되게 하는 실수** c**의 값을 모두 구하시오.**

<다 >

㉡ 주머니 1, 주머니 2 ⋯, 주머니 10에는 각각 동전들이 2^{10}개 들어 있다. 동전들은 진짜 동전과 가짜 동전으로 구분되며, 진짜 동전들의 무게는 모두 같고, 가짜 동전의 무게는 진짜 동전의 무게보다 1그램이 작다. 각 주머니의 동전들은 모두 진짜이거나 모두 가짜이고, 이 중 모두 가짜 동전들이 들어 있는 주머니는 1개 이상이다.

각각의 주머니 k에서 k개, 즉, 주머니 1에서 1개, 주머니 2에서 2개, ⋯, 주머니 10에서 10개의 동전을 꺼 내, 그 꺼낸 동전들 $1+2+\cdots+10=55$개의 무게를 재었을 때, 그 무게의 합이 55개 동전 모두가 진짜일 때의 합보다 5그램이 작다고 하자. 이때, $5=1+4=2+3$이므로 가짜 동전들이 들어 있는 주머니들의 가능한 경우는 다음의 3가지이다.

<u>주머니5</u>, <u>주머니1과 주머니4</u>, <u>주머니2와 주머니3</u>.

㉢ 집합$B=\{b_1,\ b_2,\ \cdots,\ b_n\}$의 모든 원소는 서로 다른 자연수이고 $b_1<b_2<\cdots<b_n$이면 $1\le b_1,\ 2\le b_2,\ \cdots,\ n\le b_n$이다. 즉, 집합 B의 원소의 개수 n은 집합 B의 원소 중 가장 큰 자연수 b_n보다 작거나 같다.

집합 $A_{10}=\{a_1,\ a_2,\ \cdots,\ a_{10}\}$의 모든 원소는 서로 다른 자연수이고, 집합 A_{10}의 공집합이 아닌 서로 다른 모든 부분집합의 개수는 $2^{10}-1$이다. 이러한 $2^{10}-1$개의 부분집합들은 각각 원소의 합이 서로 다르다고 하자. 이 때,

$$a_1+a_2+\cdots+a_{10}\ge 2^{10}-1=1023 \ \cdots\cdots\ (1)$$

임을 증명할 수 있다. 집합 A_{10}의 원소 중 가장 큰 자연수를 x라고 하면

$$a_1+a_2+\cdots+a_{10}\le x+(x-1)+(x-2)+\cdots+(x-8)+(x-9)=10x-45$$

이고

(1)에 의해 $x\ge\frac{1}{10}(2^{10}+44)=106.8$이다. 집합 A_{10}의 예로는 집합

$$\{1,\ 2,\ 2^2,\ 2^3,\ \cdots,\ 2^9\},\ \{2^{10}+1,\ 2^{10}+2,\ 2^{10}+2^2,\ 2^{10}+2^3,\ \cdots,\ 2^{10}+2^9\}$$

등이 있다.

제시문 <다>를 읽고 다음 문제에 답하시오.

3-1. **㉡에 있는 각각의 주머니 k에서 2^{k-1}개의 동전을 꺼내, 그 꺼낸 모든 동전들의 무게를 잿을 때, 그 무게의 합이 꺼낸 동전 모두가 진짜일 때의 합보다 $2^4+2^5+2^8$그램이 작다면, 가짜 동전들이 들어 있는 주머니들은 무엇인가? 가능한 주머니들의 경우를 찾으시오. 또한 부등식 (1)에서 등호가 성립할 때, 제 시문 <다>에서 주어진 집합 A_{10}의 한 예를 찾으시오.**

3−2. 제시문 <다>에서 주어진 집합 A_{10}의 공집합이 아닌 서로 다른 모든 부분집합 C_1, C_2, $\cdots$, C_N의 개수는 $N = 2^{10} - 1$이다. $1 \le k \le N$인 자연수 k에 대하여, $S(C_k)$를 집합 C_k의 모든 원소들의 합이라고 할 때, 집합

$$C = \{S(C_1),\ S(C_2),\ \cdots,\ S(C_N)\}$$

의 서로 다른 원소의 개수를 구하고, 이 개수와 ⓒ을 이용하여 부등식 (1)을 보이시오. 또한 모든 원소가 서로 다른 10개의 자연수인 집합 중, 다음을 만족시키는 집합이 존재하는지를 판단하시오.

ⓐ 집합의 원소 중, 가장 큰 자연수가 104이다. ⓑ 공집합이 아닌 서로 다른 모든 부분집합의 원소의 합이 서로 다르다.

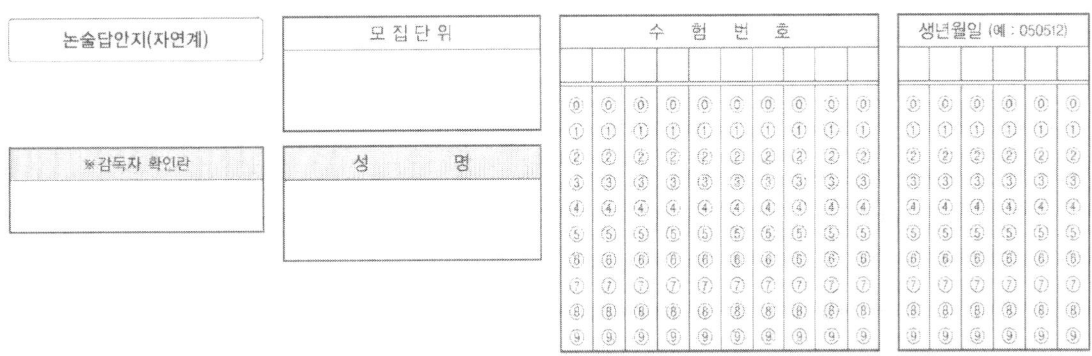

문항 【1】 반드시 해당 문항의 답을 작성해야 함

1

이 줄 아래에 답안을 작성하거나 낙서할 경우 판독이 불가능하여 채점 불가

이 줄 위에 답안을 작성하거나 낙서할 경우 판독이 불가능하여 채점 불가

문항 【2】 반드시 해당 문항의 답을 작성해야 함

2

이 줄 아래에 답안을 작성하거나 낙서할 경우 판독이 불가능하여 채점 불가

이 줄 위에 답안을 작성하거나 낙서할 경우 판독이 불가능하여 채점 불가

문항 【3】 반드시 해당 문항의 답을 작성해야 함

3

이 줄 아래에 답안을 작성하거나 낙서할 경우 판독이 불가능하여 채점 불가

5. 2023학년도 숙명여대 수시 논술

<가>

두 함수 $f(x)$, $g(x)$가 미분가능할 때, 함수 $f(x)g(x)$를 x에 대하여 미분하면

$$\{f(x)g(x)\}' = f'(x)g(x) + f(x)g'(x)$$

이다.

구간 $[a, b]$에서 두 함수 $f(x)$, $g(x)$의 도함수가 연속이면

$$\int_a^b f(x)g'(x)dx = \Big[f(x)g(x) \Big]_a^b - \int_a^b f'(x)g(x)dx$$
$$= f(b)g(b) - f(a)g(a) - \int_a^b f'(x)g(x)dx$$

이다.

※ 제시문을 읽고 다음 문제에 답하시오.

1-1. **양의 실수에서 정의된 함수 $f(x)$는 미분가능하고**

$$f(x+1) = (x+1)f(x), \quad f(1) = 1$$

을 만족시킨다. $f'(4) - 9f'(2) - 6f'(1)$의 값을 구하시오.

1-2. **함수 $f(u)$는**

$$f(u) = \int_0^1 x^u (1-x)^{10} dx, \quad u \geq 1$$

이다. $u \geq 2$일 때, $f(u) = g(u)f(u-1)$인 $g(u)$를 구하고 $f(u+1) = \frac{1}{12}f(u-1)$인 u의 값을 구하시오.

<나>

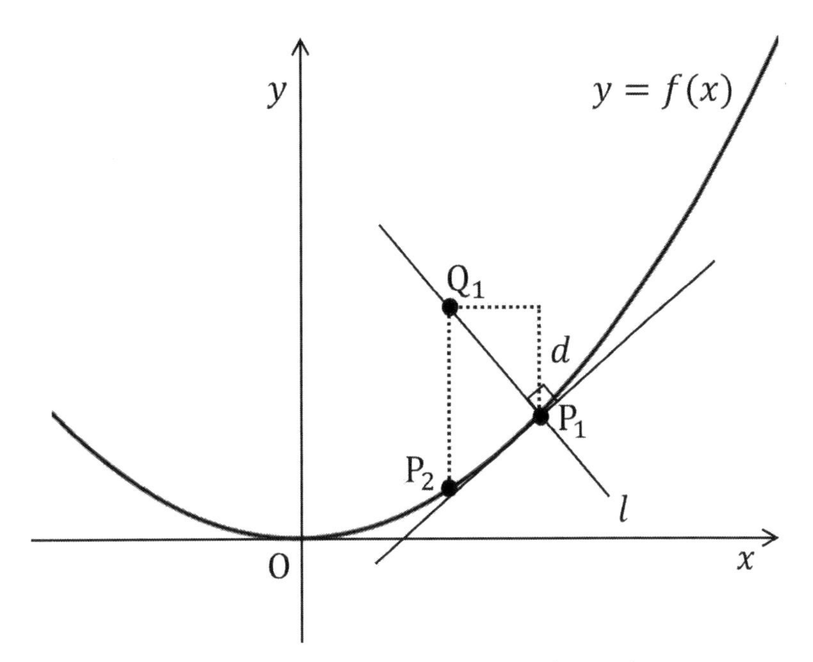

그림과 같이 함수 $y=f(x)$의 그래프 위의 한 점 $P_1(x_1, y_1)$에 대하여 점 P_1을 지나고 점 P_1에서의 접선과 수직인 직선을 l이라 하자. 양수 d에 대하여 직선 $y=y_1+d$와 직선 l의 교점을 Q_1이라 하고, 점 Q_1을 지나고 y축과 평행한 직선과 $y=f(x)$의 그래프의 교점을 점 $P_2(x_2, y_2)$라 하자. 같은 방법으로 점 P_2를 지나고 점 P_2에서의 접선과 수직인 직선이 직선 $y=y_2+d$와 만나는 점을 Q_2라 하고, 점 Q_2를 지나고 y축과 평행한 직선과 $y=f(x)$의 그래프의 교점을 점 $P_3(x_3, y_3)$이라 하자. 이와 같은 과정을 반복하여 n번째 얻은 점을 $P_n(x_n, y_n)$이라 하자.

점 P_n의 x좌표로 이루어진 수열 $\{x_n\}$의 수렴과 발산은 d의 값에 따라 달라지고, 수렴하는 경우 수열 $\{x_n\}$의 극한값은 함수 $y=f(x)$가 극소가 되는 x의 값이다.

<다>

다음과 같이 귀납적으로 정의된 수열 $\{a_n\}$의 수렴, 발산을 조사해보자.

$a_1=1$

$a_{n+1}=pa_n+q$ (단, p, q는상수이고$n=1, 2, 3, \cdots$) ⋯⋯ ①

이 수열이 수렴하는 경우 $\lim_{n\to\infty}a_n=\alpha$라 하면 $\lim_{n\to\infty}a_{n+1}=\alpha$이므로 식 ①에서

$$\alpha=p\alpha+q \quad \cdots\cdots \text{②}$$

이다. 이때 수열 $\{a_n\}$이 α로 수렴하는 것은 수열 $\{a_n-\alpha\}$가 0으로 수렴하는 것과 같다. 식 ①에서 식 ②를 빼면 $a_{n+1}-\alpha=p(a_n-\alpha)$이므로 수열 $\{a_n-\alpha\}$는 공비가 p인 등비수열이다. 따라서 p의 값에 따라 수열 $\{a_n\}$의 수렴 여부가 달라진다.

제시문 <나>에서 구한 점 P_n**의** x**좌표를** x_n**이라 할 때 다음 문제에 답하시오.**

2-1. $f(x)=3x^2$**에 대하여 점** $\mathrm{P}_1(1,\ 3)$, $d=\dfrac{1}{5}$**일 때, 수열** $\{x_n\}$**을 귀납적으로 정의하시오.**

2-2. $f(x)=3(x^2-x)$**에 대하여 점** $\mathrm{P}_1(1,\ 0)$**일 때, 수열** $\{x_n\}$**이 수렴하도록 하는** d**의 값의 범위를 구하시오.**

<라>

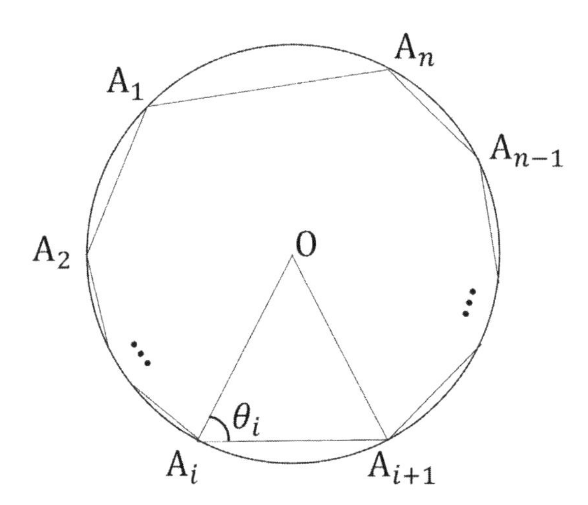

반지름의 길이가 1인 원 O에 n각형이 내접하고 있다. n각형의 꼭짓점을 각각 A_1, A_2, $\cdots$, A_n이라 하자. 원의 중심 O는 n각형의 내부에 있고 $\theta_i = \angle OA_i A_{i+1}$이다. (단, $\theta_n = \angle OA_n A_1$)

현 $A_i A_{i+1}$의 길이를 x, 원의 중심 O에서 현 $A_i A_{i+1}$에 내린 수선의 길이를 h라 하면 삼각형 $OA_i A_{i+1}$의 넓이는 $\frac{1}{2}xh$이다.

<마>

구간 $[a, b]$에서 연속인 함수 $f(x)$의 그래프가 위로 볼록이면 그 구간에 있는 n개의 점 x_1, x_2, $\cdots$, x_n에 대하여 부등식

$$\frac{1}{n}\sum_{i=1}^{n} f(x_i) \le f\left(\frac{1}{n}\sum_{i=1}^{n} x_i\right)$$

가 성립한다. 여기서 등호는 $x_1 = x_2 = \cdots = x_n$일 때 성립한다.

<바>

기원전 3세기의 고대 그리스 수학자 아르키메데스는 원에 내접하는 정다각형의 둘레와 외접하는 정다각형의 둘레를 비교하여 원주율을 계산하였다. 원의 둘레는 그 원에 외접하는 정다각형의 둘레보다 짧고 내접하는 정다각형의 둘레보다 길다. 이때 정다각형의 변이 많아질수록 외접하는 정다각형의 둘레와 내접하는 정다각형의 둘레의 차는 작아지므로 정다각형의 둘레는 원의 둘레에 가까워진다. 아르키메데스는 원에 내 접하는 정 96각형의 둘레와 원에 외접하는 정 96각형의 둘레를 구하여 원주율이 $3\frac{10}{71}$보다 크고 $3\frac{1}{7}$보다 작은 것을 보였다. 이 값을 계산하면 원주율은 3.1408과 3.1429 사이에 있음을 알 수 있다. 원에 내접하는 정 n각형의 둘레와 외접하는 정 n각형의 둘레에서 n의 값이 한없이 커질 때 극한을 구하면 원주율을 구할 수 있다.

※ **제시문을 읽고 다음 문제에 답하시오.**

3－1. **제시문 <라>의 원에 내접하는** n**각형의 넓이는** $\frac{1}{2}\sum_{i=1}^{n}\sin(2\theta_i)$**임을 보이고 그 넓이의 최댓값을 구하시오.**

3－2. **다음 <보기>와 수열의 극한을 이용하여 반지름의 길이가 1인 원의 넓이는** π**임을 보이시오.**

< 보기 >
원의 넓이는 그 원에 외접하는 n각형의 넓이보다 작고 내접하는 n각형의 넓이보다 크다.

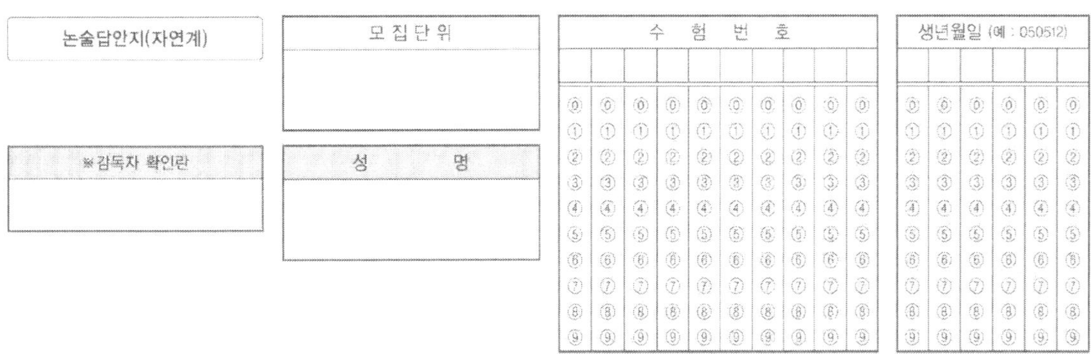

문항 【1】 반드시 해당 문항의 답을 작성해야 함

1

이 줄 아래에 답안을 작성하거나 낙서할 경우 판독이 불가능하여 채점 불가

이 줄 위에 답안을 작성하거나 낙서할 경우 판독이 불가능하여 채점 불가

문항 【2】 반드시 해당 문항의 답을 작성해야 함

2

이 줄 아래에 답안을 작성하거나 낙서할 경우 판독이 불가능하여 채점 불가

이 줄 위에 답안을 작성하거나 낙서할 경우 판독이 불가능하여 채점 불가

문항 【3】 반드시 해당 문항의 답을 작성해야 함

3

이 줄 아래에 답안을 작성하거나 낙서할 경우 판독이 불가능하여 채점 불가

6. 2023학년도 숙명여대 모의 논술

〈가〉

함수 $f(x)$가 닫힌구간 $[a,\ b]$에서 연속이고 $f(x) \geq 0$일 때, 곡선 $y=f(x)$와 x축 및 두 직선 $x=a$, $x=b$로 둘러싸인 도형의 넓이를 S라 하자. 닫힌구간 $[a,\ b]$를 n등분하여 양 끝점과 각 분점의 x좌표를 차례대로

$a=x_0,\ x_1,\ x_2,\ \cdots,\ x_{n-1},\ x_n=b$

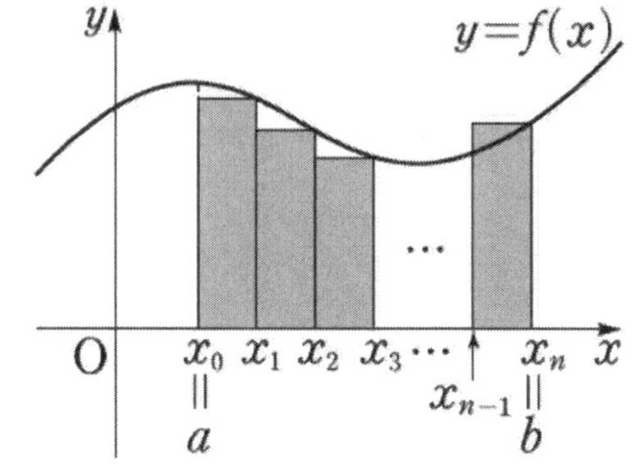

라 하고, 각 소구간의 길이를 Δx라 하면,

$\Delta x=\dfrac{b-a}{n},\ x_k=a+k\Delta x\ (k=0,\ 1,\ \cdots,\ n)$

이다. 이때 색칠한 직사각형의 넓이의 합 S_n은

$$S_n=f(x_1)\Delta x+f(x_2)\Delta x+\cdots+f(x_n)\Delta x$$
$$=\sum_{k=1}^{n} f(x_k)\Delta x$$

이다. 여기서 n이 한없이 커질 때 S_n이 S로 수렴함이 알려져 있다. 그런데 정적분의 정의에 의하여 $S=\displaystyle\int_a^b f(x)dx$이다. 따라서, 정적분과 급수의 합 사이에는 다음 관계가 성립한다.

$$\int_a^b f(x)dx=\lim_{n\to\infty}\sum_{k=1}^{n} f(x_k)\Delta x\ \left(\text{단, } \Delta x=\frac{b-a}{n},\ x_k=a+k\Delta x\right)$$

※ 제시문 〈가〉를 읽고 다음 문제에 답하시오.

1－1. **급수의 합 표현을 이용하여 정적분 $\displaystyle\int_0^1 x^3dx$의 값을 구하시오.**

1－2. **아래 식을 급수의 합 표현으로 바꾸고, 정적분과 급수의 합 사이의 관계를 이용하여 그 값을 구하시오.**

$$\lim_{N\to\infty}\left\{\ln\left(\frac{2^N+1}{2^N}\right)^{\frac{1}{2^N}}+\ln\left(\frac{2^N+2}{2^N}\right)^{\frac{1}{2^N}}+\cdots+\ln\left(\frac{2^N+2^N}{2^N}\right)^{\frac{1}{2^N}}\right\}$$

〈나〉 삼각형 ABC에서 ∠A, ∠B, ∠C의 크기를 각각 A, B, C라 하고 이들의 대변의 길이를 각각 a, b, c라 하자. 삼각형 ABC의 넓이는 밑변이 a, 높이가 h일 때 $\frac{1}{2}ah$이다. 삼각함수를 이용하여 높이 h를 b와 $\sin C$로 나타내면 $h=b\sin C$이므로 삼각형 ABC의 넓이는

$$\frac{1}{2}ab\sin C \quad \cdots\cdots \text{①}$$

이다.

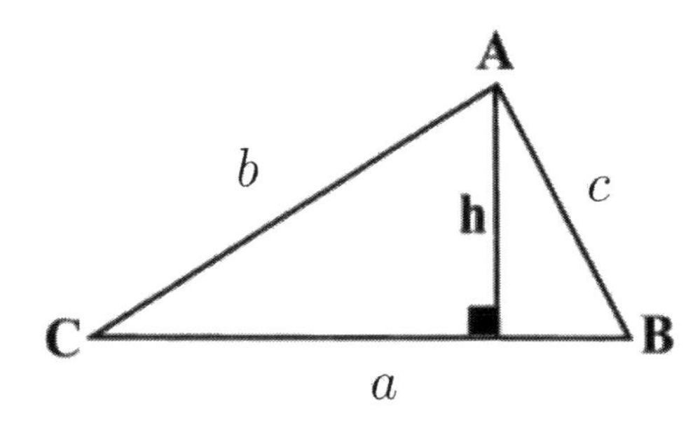

한편 $\sin^2 x+\cos^2 x=1$과 코사인법칙을 이용하여 $\sin C$를 a, b, c로 나타내면 삼각형의 넓이는

$$\sqrt{\frac{1}{16}(a+b+c)(-a+b+c)(a-b+c)(a+b-c)}$$

와 같이 나타낼 수 있다. 여기서 $s=\frac{a+b+c}{2}$라 두면 위 식은

$$\sqrt{s(s-a)(s-b)(s-c)} \quad \cdots\cdots \text{②}$$

이다. 삼각형의 넓이를 구하는 이 식을 '헤론의 공식'이라 한다.

〈다〉 n이 자연수일 때 n개의 양수 x_1, x_2, $\cdots$, x_n에 대하여 이들의 산술평균 $\frac{x_1+x_2+\cdots+x_n}{n}$과 기하평균 $(x_1x_2\cdots x_n)^{\frac{1}{n}}$은 부등식

$$\frac{x_1+x_2+\cdots+x_n}{n} \geq (x_1x_2\cdots x_n)^{\frac{1}{n}}$$

을 만족시키고 등호는 $x_1=x_2=\cdots=x_n$일 때 성립한다.

〈라〉 둘레의 길이가 일정한 직사각형 중에서 넓이가 최대인 직사각형은 정사각형임을 미분을 사용하지 않고 다음과 같이 보일 수 있다.
주어진 직사각형의 둘레의 길이를 L이라 하고 한 변의 길이를 x라 하면 다른 한 변의 길이는 $\frac{L-2x}{2}$이다. 이 직사각형의 넓이를 $A(x)$라 하면

$$A(x)=x\left(\frac{L-2x}{2}\right)=\frac{1}{2}Lx-x^2=\frac{L^2}{16}-\left(x-\frac{L}{4}\right)^2$$

여기서 $\left(x-\frac{L}{4}\right)^2 \geq 0$이므로 $A(x)=\frac{L^2}{16}-\left(x-\frac{L}{4}\right)^2 \leq \frac{L^2}{16}$이다.

사각형의 넓이는 $\frac{L^2}{16}$보다 클 수 없고 $A(x)=\frac{L^2}{16}$이기 위한 필요충분조건은 $x=\frac{L}{4}$이다. 따라서 둘레의 길이가 일정한 직사각형 중에서 넓이가 최대인 사각형은 정사각형이다.

※ **제시문 〈나〉-〈라〉를 읽고 다음 문제에 답하시오.**

2-1. **제시문 〈나〉에서 식 ①로부터 식 ②를 유도하는 과정을 서술하시오.**

2-2. **제시문 〈나〉-〈라〉를 이용하여 둘레의 길이가 일정한 삼각형 중에서 넓이가 최대인 삼각형은 어떤 삼각형인지를, 구하는 과정과 함께 설명하시오.**

〈마〉 등비수열은 이전 항에 차례로 일정한 값을 곱하여 만들어진 수열을 말하며 이 때 곱해지는 일정한 값을 공비라고 한다. 첫째항이 $a(\neq 0)$이고 공비가 r인 등비수열, $a_n = ar^{n-1}$에 대해 무한등비급수를 S라고 하면

$$S = a + ar + ar^2 + \cdots + ar^{n-1} + \cdots = a\sum_{n=0}^{\infty} r^n$$

이다. 이 때 $|r| < 1$이면, 급수 S는 $\frac{a}{1-r}$로 수렴하고 $|r| \geq 1$이면 급수 S는 발산한다.

〈바〉 윷 하나를 던지는 시행을 할 때 나오는 결과는 엎어지는 경우 (T)와 젖혀지는 경우 (H)밖에 없으며 윷이 엎어질 확률은 $p(0 < p < 1)$, 젖혀질 확률은 $q = 1 - p$라 하자. 엎어지는 경우가 나올 때까지 윷을 반복적으로 던진다고 할 때, 처음으로 엎어진 윷이 나올 때까지 윷을 던진 횟수가 n인 확률을 f_n이라 하자. 예를 들어, 윷을 던져 세 번째에 처음으로 엎어진 윷이 나올 확률은 $P(HHT) = pq^2$이다. 따라서, f_n은 다음과 같이 첫째항이 p이고 공비가 q인 등비수열로 표시할 수 있다.

$$f_n = pq^{n-1}, \quad n = 1,\ 2,\ 3,\ \ldots$$

※ 제시문 〈마〉, 〈바〉를 읽고 다음 문제에 답하시오.

3-1. **n이 홀수이면 1, 짝수이면 -1이 되는 등비수열 $\{a_n\}$을 구하고 이를 이용하여 n이 홀수이면 0, 짝수이면 1이 되는 수열 $\{b_n\}$을 구하시오.**

3-2. **제시문 〈바〉의 f_n을 이용하여, 짝수번 던졌을 때 처음으로 엎어진 윷이 나올 확률이 $\frac{1}{2}$보다 작음을 보이시오.**

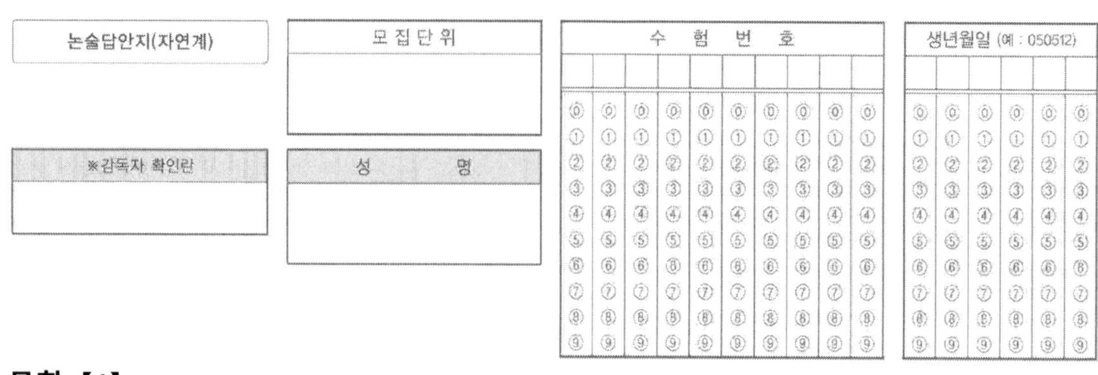
논술답안지(자연계)

모집단위

수험번호

생년월일 (예 : 050512)

※감독자 확인란

성 명

문항 【1】 반드시 해당 문항의 답을 작성해야 함

1

이 줄 아래에 답안을 작성하거나 낙서할 경우 판독이 불가능하여 채점 불가

이 줄 위에 답안을 작성하거나 낙서할 경우 판독이 불가능하여 채점 불가

문항 【2】 반드시 해당 문항의 답을 작성해야 함

2

이 줄 아래에 답안을 작성하거나 낙서할 경우 판독이 불가능하여 채점 불가

이 줄 위에 답안을 작성하거나 낙서할 경우 판독이 불가능하여 채점 불가

문항【3】반드시 해당 문항의 답을 작성해야 함

3

이 줄 아래에 답안을 작성하거나 낙서할 경우 판독이 불가능하여 채점 불가

7. 2022학년도 숙명여대 수시 논술

<가>

$n \ge k$인 자연수 n과 k에 대하여 유리수 $\alpha(n,\ k)$를

$$\alpha(n,\ k) = \frac{1}{k}{}_{2n-k}\mathrm{C}_{k-1}$$

이라고 정의하자. 이때

$${}_nC_r = \frac{n!}{r!(n-r)!} = \frac{n(n-1)(n-2)\cdots(n-r+1)}{r!}$$

은 서로 다른 n개에서 $r(0 \le r \le n)$개를 택하는 조합의 수이다. 단, $0! = 1$로 정의한다. 그러면 항등식

$$1^2 + 2^2 + 3^2 + \cdots + n^2 = \frac{n(n+1)(2n+1)}{6}$$

을 이용하여 $n \ge 4$일 때 명제

① '**$\alpha(n,\ 4)$는 자연수이다.**'

가 참임을 증명할 수 있다. 또한, $n \ge 3$일 때 명제 '$3 \cdot \alpha(n,\ n-1)$이 자연수이다.'가 참임을 다음과 같이 증명할 수 있다.

$$\alpha(n,\ n-1) = \frac{1}{n-1}{}_{n+1}\mathrm{C}_{n-2} = \frac{1}{n-1}{}_{n+1}\mathrm{C}_3$$

$$= \frac{1}{n-1}\frac{(n+1)n(n-1)}{3 \cdot 2 \cdot 1} = \frac{1}{3} \cdot \frac{(n+1)n}{2 \cdot 1}$$

$$= \frac{1}{3}{}_{n+1}\mathrm{C}_2$$

소수는 1과 자기 자신만을 약수로 가지는 1보다 큰 자연수이다. 유리수 $\alpha(17,\ 7)$은 정의에 의하여

$$\alpha(17,\ 7) = \frac{1}{7}{}_{27}\mathrm{C}_6$$

$$= \frac{27 \cdot 26 \cdot \cdots \cdot 22}{7!} \quad \cdots\cdots \quad (1)$$

이다. 유리수 $\alpha(17,\ 7)$이 자연수라고 가정하면, (1)의 우변의 분모인 $7!$이 소수 7의 배수이므로, 분자

$$27 \cdot 26 \cdot \cdots \cdot 22 \quad \cdots\cdots \quad (2)$$

는 소수 7의 배수이다. 그런데 (2)는 소수 7의 배수가 아님을 증명할 수 있다. 따라서 모순이다. 그러므로 $\alpha(17,\ 7)$은 자연수가 아니다.

※ 제시문 ⟨가⟩를 읽고 다음 문제에 답하시오.

1－1. 명제 ①이 참임을 증명하시오.

1－2. $n \geq 4$일 때 $5 \cdot \alpha(n,\ n-2)$와 $\alpha(100,\ 67)$이 자연수인지 아닌지를 각각 판별하고, 그 이유를 설명하시오. (단, 67은 소수이다.)

〈나〉

좌표평면에서 시간에 따라 움직이는 점 P의 시각 t에서의 위치 P(x, y)가 $x=f(t)$, $y=g(t)$로 주어질 때, 점 P의 시각 t에서의 속도는 $(f'(t),\ g'(t))$이고, 시각 t에서의 속력은

$$\sqrt{\{f'(t)\}^2+\{g'(t)\}^2}$$

이다.

어떤 축구 선수가 내리막길 앞에서 공을 높이 찼을 때 공의 위치를 좌표평면에 나타내 보자. 원점 O에서 제 1사분면 방향으로 공을 찼을 때 공을 찬 방향과 x축이 이루는 예각을 θ라 하자. 그리고 내리막길은 제 4사분면에 어떤 연속함수의 그래프로 주어진다고 하자. 시각 $t(t\geq 0)$에서의 공의 위치를 P(x, y)라 하면

$$\begin{cases} x=10t\cos\theta \\ y=10t\sin\theta-5t^2 \end{cases}$$

인 관계가 성립한다고 한다.

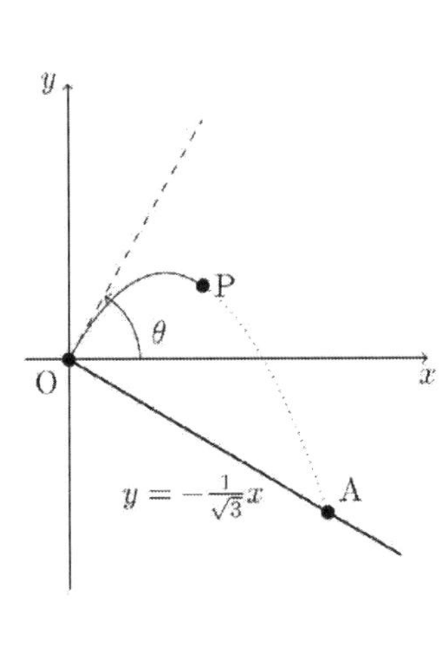

<그림 1>

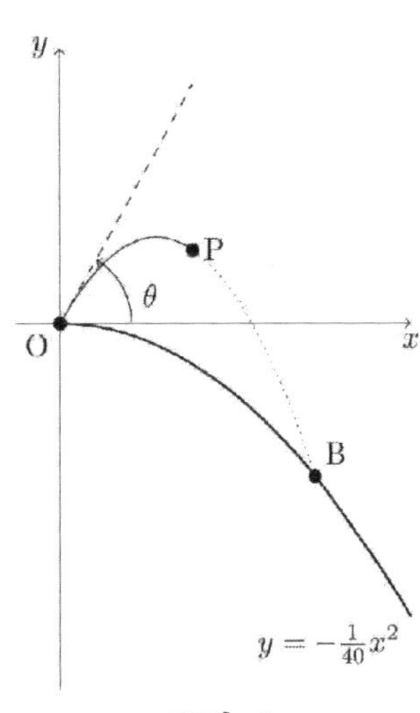

<그림 2>

<그림 1>에서의 내리막길은 일차함수 $y=-\dfrac{1}{\sqrt{3}}x\ (x\geq 0)$의 그래프를 나타낸다. 원점 O에서 찬 공이 내리막길에 처음 닿은 지점을 점 A라 할 때, 점 A의 x좌표는

$$20\left(\sin\theta\cos\theta+\frac{1}{\sqrt{3}}\cos^2\theta\right)$$

이고 $\theta=\dfrac{\pi}{6}$일 때 최댓값을 가진다.

<그림 2>에서의 내리막길은 이차함수 $y=-\dfrac{1}{40}x^2\ (x\geq 0)$의 그래프를 나타낸다. 원점 O에서 찬 공이 내리막길에 처음 닿은 지점을 점 B라 하자. 이때 $u=\tan\theta$로 놓으면, 점 B의 x좌표는 u의 함수로 나타낼 수 있고, 이를 이용하여 점 B의 x좌표가 최대가 되도록 하는 각 θ의 값을 구할 수 있다.

※ 제시문 〈나〉를 읽고 다음 문제에 답하시오.

2-1. <그림 2>에서 $\theta=\frac{\pi}{4}$일 때, 원점 O에서 찬 공의 속력이 최소일 때의 점 P의 y좌표를 구하시오.

2-2. <그림 2>에서 점 B의 x좌표가 최대가 되도록 하는 각 θ에 대하여 $\tan\theta$를 구하시오.

〈다〉

닫힌구간 $[a, b]$에서 연속인 함수 $f(x)$에 대하여 미분가능한 함수 $x=g(t)$의 도함수 $g'(t)$가 $a=g(\alpha)$, $b=g(\beta)$일 때 α, β를 포함하는 구간에서 연속이면

$$\int_a^b f(x)dx=\int_\alpha^\beta f(g(t))g'(t)dt$$

이다. 예를 들어, 정적분 $\int_0^1 xe^{x^2}dx$를 구해 보자. 이때 $x^2=t$로 놓으면 $2x\frac{dx}{dt}=1$이고 $x=0$일 때 $t=0$, $x=1$일 때 $t=1$이므로

$$\int_0^1 xe^{x^2}dx=\int_0^1 \frac{1}{2}e^t dt=\left[\frac{1}{2}e^t\right]_0^1=\frac{1}{2}(e-1)$$

이다.

또한, 닫힌구간 $[a, b]$에서 연속인 도함수를 갖는 두 함수 $f(x)$, $g(x)$에 대하여

$$\{f(x)g(x)\}'=f'(x)g(x)+f(x)g'(x)$$

이므로 $f(x)g(x)$는 $f'(x)g(x)+f(x)g'(x)$의 한 부정적분이다. 따라서

$$\int_a^b \{f'(x)g(x)+f(x)g'(x)\}dx=\left[f(x)g(x)\right]_a^b$$

이므로

$$\int_a^b f(x)g'(x)dx=\left[f(x)g(x)\right]_a^b-\int_a^b f'(x)g(x)dx$$

이다. 예를 들어, 정적분 $\int_0^1 xe^{-x}dx$를 구해 보자. 이때 $f(x)=x$, $g'(x)=e^{-x}$로 놓으면 $f'(x)=1$, $g(x)=-e^{-x}$이므로

$$\int_0^1 xe^{-x}dx=\left[-xe^{-x}\right]_0^1+\int_0^1 e^{-x}dx=-e^{-1}+\left[-e^{-x}\right]_0^1=1-\frac{2}{e}$$

이다.

제시문 〈다〉를 읽고 다음 문제에 답하시오.

3−1. **정적분** $\int_0^1 e^{x^2}dx$**의 값을** A**라 할 때, 다음 정적분을 구하시오.**

$$\int_0^1 (x^2+1)e^{x^2}dx$$

3−2. $x>0$**에서 정의된 미분가능한 함수** $f(x)$**가 다음 두 조건을 만족시킨다.**

$x>0$인 모든 실수 x에 대하여

㉠ $f(x)>0$

㉡ $5\int_1^x f(t)dt-\int_{2-x}^1 \frac{x+t-2}{3-t}f(2-t)dt=5(x-1)$

이때 $f(63)$**을 구하시오.**

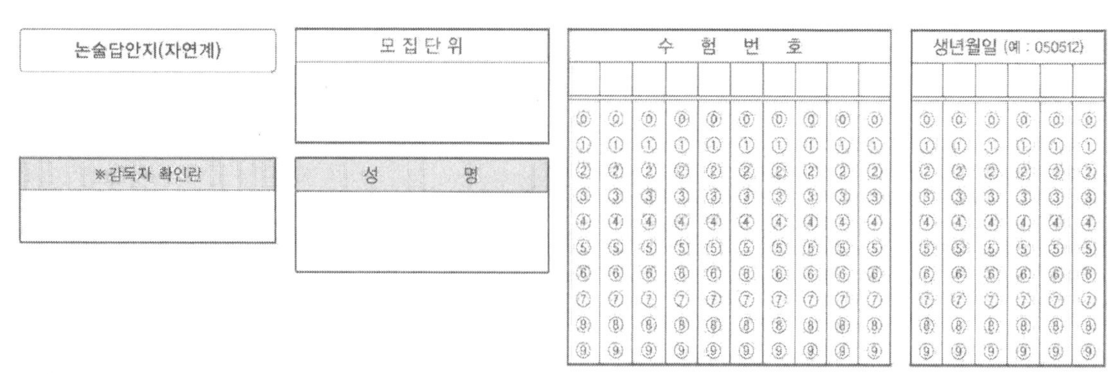

문항 【1】 반드시 해당 문항의 답을 작성해야 함

이 줄 아래에 답안을 작성하거나 낙서할 경우 판독이 불가능하여 채점 불가

이 줄 위에 답안을 작성하거나 낙서할 경우 판독이 불가능하여 채점 불가

문항 【2】 반드시 해당 문항의 답을 작성해야 함

2

이 줄 아래에 답안을 작성하거나 낙서할 경우 판독이 불가능하여 채점 불가

이 줄 위에 답안을 작성하거나 낙서할 경우 판독이 불가능하여 채점 불가

문항 【3】 반드시 해당 문항의 답을 작성해야 함

3

이 줄 아래에 답안을 작성하거나 낙서할 경우 판독이 불가능하여 채점 불가

8. 2022학년도 숙명여대 모의 논술

● 세 집합 X, Y, Z에 대하여, 두 함수 $f: X \to Y$, $g: Y \to Z$의 합성함수는 $g \circ f: X \to Z$이고, $(g \circ f)(x) = g(f(x))$와 같이 나타낼 수 있다.

● 세 함수 f, g, h에 대하여, $h \circ (g \circ f) = (h \circ g) \circ f$이다. 즉, 함수의 합성에서 결합법칙이 성립한다.

● 함수 $f: X \to Y$가 일대일대응일 때, 집합 Y의 각 원소 y에 대하여 $f(x) = y$인 집합 X의 원소 x가 오직 하나 존재한다. 따라서 Y의 각 원소 y에 $f(x) = y$인 집합 X의 원소 x를 대응시키면 Y를 정의역, X를 공역으로 하는 새로운 함수를 정의할 수 있다. 이 함수를 f의 역함수라고 하고, 이것을 기호로 f^{-1}와 같이 나타낸다. 즉,

$$f^{-1}: Y \to X, \ x = f^{-1}(y)$$

이다. 또한 이로부터 다음을 알 수 있다.

$$(f^{-1} \circ f)(x) = f^{-1}(f(x)) = f^{-1}(y) = x \ (x \in X),$$

$$(f \circ f^{-1})(y) = f(f^{-1}(y)) = f(x) = y \ \ (y \in Y)$$

즉, 합성함수 $f^{-1} \circ f$는 집합 X에서의 항등함수이고, 합성함수 $f \circ f^{-1}$는 집합 Y에서의 항등 함수이다.

※ 제시문을 읽고 다음 문제에 답하시오.

1−1. **실수 전체에서 정의된 함수 $f(x)$의 역함수가 존재하고,**

$$(f \circ f \circ f)(x) = (f \circ f)(x) \quad \cdots\cdots \ (1)$$

일 때, $f(5)$의 값을 구하시오.

1−2. **실수 전체에서 정의된 두 함수 $g(x)$, $h(x)$에 대하여 $F(x) = g(x) + h(x)$라 하자. 함수 F의 역함수가 존재하고,**

$$(g \circ F)(x) = h(x), \quad (h \circ F)(x) = g(x) \quad \cdots\cdots \ (2)$$

일 때, $g(5)$의 값을 구하시오.

함수 $f(x)$가 $x=a$에서 미분가능할 때, 곡선 $y=f(x)$위의 점 $(a,\ f(a))$에서의 접선의 방정식은 $y-f(a)=f'(a)(x-a)$이다.

암수 $g(x)$가 유리함수일 때, x의 범위에 따른 함숫값의 범위를 다음과 같이 어림할 수 있다. 예를 들어 닫힌구간 $[-2,\ -1]$에서 $g(x)=\dfrac{3x+1}{x+4}$의 범위를 알아보자.
$-2 \le x \le -1$일 때 $x+4>0$이므로,
$\dfrac{3x+1}{x+4}=\dfrac{3(x+4)-11}{x+4}=\dfrac{3(x+4)}{x+4}-\dfrac{11}{x+4} \le 3$을 얻는다.
따라서, $-2 \le x \le -1$일 때 $g(x) \le 3$임을 알 수 있다.

제시문을 읽고 다음 문제에 답하시오.

자연수 n에 대하여, 수열 $\{a_n\}$을 다음과 같이 정의한다.

- $a_1=3$
- $f(x)=x^3+x-2$**에 대하여, 곡선** $y=f(x)$ **위의 점** $(a_n,\ f(a_n))$**에서의 접선을** l_n**이라 할 때,**
  l_n**의** x**절편을** a_{n+1}**이라 하자.**

2-1. a_{n+1}**을** a_n**으로 나타내시오.**

2-2. $1 \le a_n \le 3$**일 때,** $|a_{n+1}-1| \le \dfrac{2}{3}|a_n-1|$ **임을 보이시오.**

● 양수 x_1, x_2에 대하여, $x_1x_2=1$이면 $1+x_1x_2 \le x_1+x_2$가 성립함을 보일 수 있다.

① $x_1=x_2$이면 $x_1=x_2=1$이고 $1+x_1x_2=1+1=2$이므로 $1+x_1x_2 \le x_1+x_2$이다.

② $x_1 \ne x_2$이면 $x_1 > x_2$라 가정할 수 있고 이 때 $x_1 > 1$, $x_2 < 1$이다.

따라서 $1-x_1 < 0$, $1-x_2 > 0$이므로

$(1-x_1)(1-x_2)=1-x_1-x_2+x_1x_2 < 0$이고

$1+x_1x_2 < x_1+x_2$가 성립한다.

①, ②에서 $x_1x_2=1$이면 $1+x_1x_2 \le x_1+x_2$가 성립하고 등호는 $x_1=x_2$일 때 성립한다.

● n개의 양수 x_1, x_2, $\cdots$, x_n에 대하여

$\frac{1}{n}(x_1+x_2+\cdots+x_n)$을 x_1, x_2, $\cdots$, x_n의 산술평균, $(x_1x_2\cdots x_n)^{1/n}$을 x_1, x_2, $\cdots$, x_n의 기하평균 이라 한다.

$n=2$인 경우,

$x_1+x_2-2\sqrt{x_1x_2}=(\sqrt{x_1})^2-2\sqrt{x_1x_2}+(\sqrt{x_2})^2=(\sqrt{x_1}-\sqrt{x_2})^2 \ge 0$이므로,

$\frac{x_1+x_2}{2} \ge \sqrt{x_1x_2}$이 성립한다.

한편 $y_1=\frac{x_1}{\sqrt{x_1x_2}}$, $y_2=\frac{x_2}{\sqrt{x_1x_2}}$라 하면

$\frac{y_1+y_2}{2} \ge \sqrt{y_1y_2}=\sqrt{\frac{x_1}{\sqrt{x_1x_2}}\frac{x_2}{\sqrt{x_1x_2}}}=1$이므로 $y_1+y_2 \ge 2$이다.

즉 $x_1x_2=1$이면 $x_1+x_2 \ge 2$임을 알 수 있다.

※ 제시문을 읽고 다음 문제에 답하시오.
자연수 n에 대하여 다음 명제를 $P(n)$이라 하자.

n개의 양수 x_1, x_2, $\cdots$, x_n에 대하여
$x_1x_2\cdots x_n=1$이면 $x_1+x_2+\cdots+x_n \ge n$이다.

3-1. $P(k)$가 참이면 $P(k+1)$도 참임을 다음 두 가지 경우로 나누어 보이시오.

① $x_1=x_2=\cdots=x_{k+1}$인 경우

② $x_1=x_2=\cdots=x_{k+1}$이 아닌 경우

3−2. $P(n)$**이 참일 때,** n**개의 양수** $t_1,\ t_2,\ \cdots,\ t_n$**에 대하여 부등식**

$$\frac{t_1+t_2+\cdots+t_n}{n} \geq (t_1 t_2 \cdots t_n)^{1/n}$$

이 성립함을 보이시오.

논술답안지(자연계)	모집단위
※감독자 확인란	성 명

수 험 번 호									
0	0	0	0	0	0	0	0	0	0
1	1	1	1	1	1	1	1	1	1
2	2	2	2	2	2	2	2	2	2
3	3	3	3	3	3	3	3	3	3
4	4	4	4	4	4	4	4	4	4
5	5	5	5	5	5	5	5	5	5
6	6	6	6	6	6	6	6	6	6
7	7	7	7	7	7	7	7	7	7
8	8	8	8	8	8	8	8	8	8
9	9	9	9	9	9	9	9	9	9

생년월일 (예 : 050512)					
0	0	0	0	0	0
1	1	1	1	1	1
2	2	2	2	2	2
3	3	3	3	3	3
4	4	4	4	4	4
5	5	5	5	5	5
6	6	6	6	6	6
7	7	7	7	7	7
8	8	8	8	8	8
9	9	9	9	9	9

문항 【1】 반드시 해당 문항의 답을 작성해야 함

이 줄 아래에 답안을 작성하거나 낙서할 경우 판독이 불가능하여 채점 불가

이 줄 위에 답안을 작성하거나 낙서할 경우 판독이 불가능하여 채점 불가

문항 【2】 반드시 해당 문항의 답을 작성해야 함

2

이 줄 아래에 답안을 작성하거나 낙서할 경우 판독이 불가능하여 채점 불가

이 줄 위에 답안을 작성하거나 낙서할 경우 판독이 불가능하여 채점 불가

문항 【3】 반드시 해당 문항의 답을 작성해야 함

3

이 줄 아래에 답안을 작성하거나 낙서할 경우 판독이 불가능하여 채점 불가

9. 2021학년도 숙명여대 수시 논술

<가>

실수 전체의 집합에서 정의된 함수 $f(x)$가 다음 두 조건을 만족시킨다.

㉠ 어떤 실수 x에 대하여 $f(x) \neq 0$이다. ㉡ 임의의 두 실수 x, y에 대하여 $f(x+y)=f(x)+f(y)$이다.

이때 함수 $f(x)$는 임의의 자연수 n에 대하여

$$f(nx)=nf(x)$$

이다.

실수 전체의 집합에서 정의된 함수 $g(x)$가 다음 두 조건을 만족시킨다.

㉢ 어떤 실수 x에 대하여 $g(x) \neq 0$이다. ㉣ 임의의 두 실수 x, y에 대하여 $g(x+y)=g(x)g(y)$이다.

이때 함수 $g(x)$는 임의의 자연수 n에 대하여

$$g(nx)=\{g(x)\}^n \qquad \cdots\cdots \quad ①$$

이다.

모든 양의 실수 전체의 집합에서 정의된 함수 $h(x)$가 다음 두 조건을 만족시킨다.

㉤ 어떤 양의 실수 x에 대하여 $h(x) \neq 0$이다. ㉥ 임의의 양의 두 실수 x, y에 대하여 $h(xy)=h(x)h(y)$이다.

이때 $h(x_0) \neq 0$을 만족시키는 양의 실수 x_0이 존재하고, 임의의 양의 실수 x에 대하여

$$h(x_0)=h\left(x \cdot \frac{x_0}{x}\right)=h(x)h\left(\frac{x_0}{x}\right)$$

이므로 $h(x) \neq 0$이다. 한편, 양의 실수 a에 대하여 $k(x)=\ln\{h(a^x)\}$이라 하면

$$k(x+y)=k(x)+k(y)$$

이다.

<나>

함수 $f(x)$가 실수 전체의 집합에서 미분가능할 때, 평균값 정리에 의하면 $a<b$인 임의의 두 실수 a, b에 대하여

$$f'(c)=\frac{f(b)-f(a)}{b-a}$$

인 c가 열린구간 (a, b)에 적어도 하나 존재한다. 이러한 실수 c가 닫힌구간 $[a, b]$의 중점이 되는 함수 $f(x)$에 대하여 알아보자. 이제 임의의 서로 다른 두 실수 x, y에 대하여

$$\frac{f(x)-f(y)}{x-y}=f'\left(\frac{x+y}{2}\right), \quad f'(0)=0 \ \cdots\cdots \ ②$$

이라고 가정하자. 위의 등식 ②에서 $y=-x$이면

$$\frac{f(x)-f(-x)}{x-(-x)}=f'(0)=0$$

이므로 함수 $f(x)$는 $f(-x)=f(x)$를 만족시킨다.

(i) $x\neq 0$이면,

$$f'(3x)=f'\left(\frac{4x+2x}{2}\right)=\frac{f(4x)-f(2x)}{4x-2x}=\frac{f(4x)-f(2x)}{2x}$$

이다. 한편,

$$f'(x)=f'\left(\frac{4x+(-2x)}{2}\right)=\frac{f(4x)-f(-2x)}{4x-(-2x)}=\frac{f(4x)-f(2x)}{6x}$$

이므로

$$3f'(x)=f'(3x)$$

이다.

(ii) $x=0$이면, ②에 의하여 $f'(0)=0$이므로

$$3f'(x)=f'(3x)=0$$

이다.

그러므로 (i), (ii)에 의하여, 임의의 실수 x에 대하여

$$3f'(x)=f'(3x)$$

이다.

<다>

두 사람 A와 B가 삼차방정식 $x^3+ax^2+bx+c=0$의 세 계수 a, b, c를 서로 번갈아가며 실수로 바꾸는 다음과 같은 경기를 한다. 단, c는 0으로 바꿀 수 없다.

삼차방정식 $x^3+ax^2+bx+c=0$에서 A가 먼저 세 계수 a, b, c중 하나를 선택한 후, 그것을 A가 원하는 실수로 바꾼다. 그다음, B는 A가 선택한 것을 제외한 나머지 두 계수 중 하나를 선택한 후, 그것을 B가 원하는 실수로 바꾼다. 마지막으로 A는 위에서 선택하고 남은 계수를 적당한 실수로 바꿔서, 그 결과로 만들어진 삼차방정식이 서로 다른 세 실근을 가지면 A가 이기고, 그렇지 않으면 B가 이긴다.

예를 들어, A와 B가 다음과 같은 순서로 경기를 한다고 하자.

첫 번째, A는 a를 선택한 후 -6으로 바꾼다.

두 번째, B는 b를 선택한 후 11로 바꾼다.

세 번째, A는 c를 -6으로 바꾼다.

위의 결과로 만들어진 삼차방정식은 $x^3-6x^2+11x-6=0$이 되고, 이 방정식은 서로 다른 세 실근 1, 2, 3을 가진다. 그러므로 A가 이긴다.

1－1. **제시문 <가>를 읽고 다음 문제에 답하시오.**

1－1 **(a). 수학적 귀납법을 이용하여 등식 ①이 성립함을 보이시오. 또한 임의의 실수** x **에 대하여** $g(x)$**는 양의 실수임을 보이시오.**

1－1 **(b). 실수 전체의 집합에서 정의된 함수** $p(x)$**가 다음 두 조건을 만족시킨다.**

1) 어떤 실수 x에 대하여 $p(x) \neq -1$이다. 2) 임의의 두 실수 x, y에 대하여 $p(x+y)=p(x)+p(y)+p(x)p(y)$이다.

이때 $p(2021x)+1=\{p(x)+1\}^{2021}$**임을 보이시오.**

1－2. **제시문 <나>에서 ②를 만족시키는 함수** $f(x)$**에 대하여 다음 문제에 답하시오.**

1－2 **(a). 임의의 두 실수** k, x**에 대하여** $kf'(x)=f'(kx)$**임을 보이시오.**

1－2 **(b). 문제** 1－2 **(a)를 이용하여 함수** $f(x)$**가** $f(0)=0$**과** $f'(2)=4$**를 만족시킬 때,** $f(x)$**를 구하시오.**

1－3. **제시문 <다>에서 주어진 경기에 대하여 다음 문제에 답하시오.**

1－3 **(a). 삼차방정식** $x^3+ax^2+bx+c=0$**에서** A**가 먼저** a**를 선택하여** 6**으로 바꾼 후,** B**가** b**를 선택하여** 9**로 바꾸어 삼차방정식** $x^3+6x^2+9x+c=0$**이 되었다. 이 삼차방정식에 대하여 다음 두 조건을 만족시키는 실수** c**의 범위를 구하시오.**

1) 열린구간 $(-5,\ -3)$에서 적어도 하나의 실근을 갖는다. 2) A가 이 경기에서 이긴다.

1－3 **(b). 제시문 <다>에서 주어진 경기는** B**의 선택에 상관없이** A**가 이길 수 있음을 보이시오. (도움말:** A**는 첫 번째 순서에서** c**를 선택한 후** 1**로 바꿀 수 있다. 사잇값의 정리와 그래프의 개형을 이용할 수 있다.)**

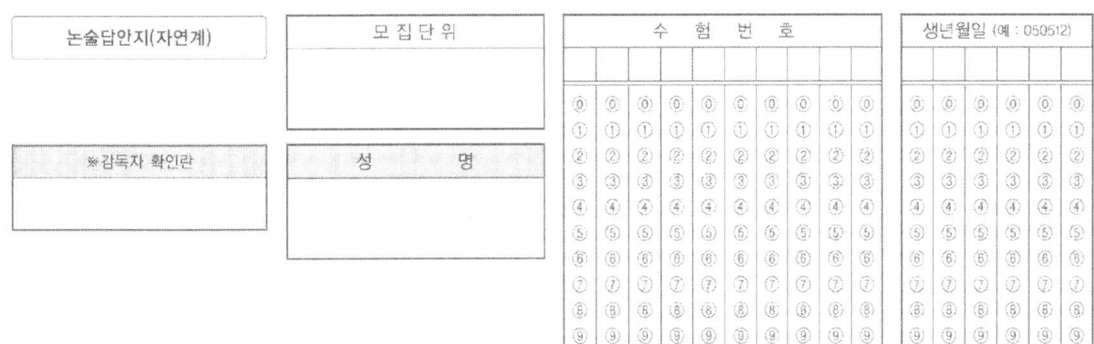

문항 【1】 반드시 해당 문항의 답을 작성해야 함

1

이 줄 아래에 답안을 작성하거나 낙서할 경우 판독이 불가능하여 채점 불가

이 줄 위에 답안을 작성하거나 낙서할 경우 판독이 불가능하여 채점 불가

문항 【2】 반드시 해당 문항의 답을 작성해야 함

2

이 줄 아래에 답안을 작성하거나 낙서할 경우 판독이 불가능하여 채점 불가

이 줄 위에 답안을 작성하거나 낙서할 경우 판독이 불가능하여 채점 불가

문항 【3】 반드시 해당 문항의 답을 작성해야 함

3

이 줄 아래에 답안을 작성하거나 낙서할 경우 판독이 불가능하여 채점 불가

10. 2021학년도 숙명여대 모의 논술

<가>

자연수 n의 양의 약수의 총합이 $2n$이 될 때, n을 완전수라 부른다. 예를 들어 6은 양의 약수가 1, 2, 3, 6이므로 이를 모두 더한 값이 6의 2배가 되어 완전수이다. 또 다른 예로 28은 양의 약수가 1, 2, 4, 7, 14, 28이므로 이를 모두 더하면 28의 2배가 되어 완전수이다. 이보다 더 큰 완전수로는 496, 8128 등이 있으며 완전수가 유한한지 아니면 무한히 많은 지는 알려져 있지 않다.

자연수 n을 소인수분해 하였을 때, $n=pq$ (단, p, q는 $p<q$인 소수)인 경우 n이 완전수가 되는지 알아보자. $n=pq$의 양의 약수는 1, p, q, pq이므로 약수들의 합은 $1+p+q+pq$이다. 따라서 n이 완전수가 되기 위하여 $1+p+q+pq=2pq$가 되어야 한다. 즉, $pq-p-q-1=0$이다. 이를 풀면 $p=2$, $q=3$이 되어야 함을 확인할 수 있다. 그러므로 두 소수의 곱인 완전수는 6이 유일함을 알 수 있다.

이제 자연수 n이 $n=4m$ (m은 홀수)일 때 n이 완전수가 될 조건을 구해보자. m이 홀수이므로 n의 양의 약수는 m의 양의 약수를 1배, 2배, 4배한 수이다. m의 양의 약수의 총합을 $f(m)$이라 하면 n의 양의 약수의 총합은 $(1+2+4)f(m)=7f(m)$이다. 그러므로 n이 완전수라면 $7f(m)=8m$을 만족시킨다. 이때 7은 소수이므로 m은 7의 배수이다. $m=7k$ (k는 자연수)로 두면 $f(m)=8k$이다. 만약 $k\geq 2$이면, 1, k, $7k$가 모두 서로 다른 m의 양의 약수이므로 $f(m)\geq 1+k+7k=8k+1$이 되어 모순이다. 만약 $k=1$이라면 $n=28$이고 이는 완전수이다. 따라서 $n=4m$인 완전수는 28뿐임을 알 수 있다.

<나>

함수 $f(x)$가 어떤 구간에 속하는 임의의 두 실수 x_1, x_2에 대하여 $x_1<x_2$일 때 $f(x_1)<f(x_2)$이면 $f(x)$는 이 구간에서 증가한다고 한다. 또, $x_1<x_2$일 때 $f(x_1)>f(x_2)$이면 $f(x)$는 이 구간에서 감소한다고 한다.

함수 $f(x)$가 열린구간 (a, b)에서 미분가능하면 이 구간에 속하는 두 실수 x_1, x_2 ($x_1<x_2$)에 대하여 닫힌구간 $[x_1, x_2]$에서 연속이고 열린구간 (x_1, x_2)에서 미분가능하므로 평균값 정리에 의하여

$$\frac{f(x_2)-f(x_1)}{x_2-x_1}=f'(c)$$

인 c가 열린구간 (x_1, x_2)에 적어도 하나 존재한다.

이제 아래의 세 가지 조건을 만족시키는 함수 $f(x)$를 생각해 보자.

(1) $f(x)$는 구간 $[0, \infty)$에서 연속이다.
(2) $x>0$일 때 $f(x)$가 미분가능하고 $f'(x)<1$이다.
(3) $f(0)=0$이다.

이때 $x>0$이면 $f(x)<x$임을 평균값 정리를 이용하여 다음과 같이 보일 수 있다. 함수 $f(x)$가 조건 (1)과 (2)를 만족시키므로 닫힌구간 $[0, x]$에서 연속이고 열린구간 $(0, x)$에서 미분가능하다. 따라서 평균값 정리에 의하여 $\frac{f(x)-f(0)}{x-0}=f'(y)$가 되는 y가 열린구간 $(0, x)$에 존재한다. 이 식을 정리하면 $f(x)-f(0)=xf'(y)$이다. 여기서 $y>0$이므로 조건 (2)에 의하여 $f'(y)<1$이다. 조건 ③에서 $f(0)=0$이므로 $f(x)=xf'(y)<x$이다. 그러므로 $f(x)<x$이다.

<다>

급수

$$\ln\left(1-\frac{1}{x}\right)+\ln\left(1+\frac{1}{x}\right)+\ln\left(1+\frac{1}{x^2}\right)+\ln\left(1+\frac{1}{x^4}\right)+\ln\left(1+\frac{1}{x^8}\right)+\cdots+\ln\left(1+\frac{1}{x^{2^{n-2}}}\right)+\cdots$$

가 수렴하도록 하는 실수 x의 값의 범위를 찾아보자. 우선 로그의 진수는 양수이므로

$$1-\frac{1}{x}>0\text{이고}1+\frac{1}{x}>0$$

이다. 따라서 $|x|>1$은 주어진 급수가 수렴하기 위한 필요조건임을 알 수 있다. 또한 로그의 성질을 사용하여 이 급수의 제 n항까지의 부분합 $S_n(n\geq 2)$을 계산하면 다음과 같다.

$$\begin{aligned}S_n&=\ln\left(1-\frac{1}{x}\right)\left(1+\frac{1}{x}\right)\left(1+\frac{1}{x^2}\right)\left(1+\frac{1}{x^4}\right)\cdots\left(1+\frac{1}{x^{2^{n-2}}}\right)\\&=\ln\left(1-\frac{1}{x^2}\right)\left(1+\frac{1}{x^2}\right)\left(1+\frac{1}{x^4}\right)\cdots\left(1+\frac{1}{x^{2^{n-2}}}\right)\\&=\ln\left(1-\frac{1}{x^4}\right)\left(1+\frac{1}{x^4}\right)\cdots\left(1+\frac{1}{x^{2^{n-2}}}\right)\\&=\ln\left(1-\frac{1}{x^{2^{n-1}}}\right)\end{aligned}$$

또한 $\lim_{n\to\infty}\frac{1}{x^{2^{n-1}}}=\begin{cases}0 & (|x|>1)\\1 & (|x|=1)\\\infty & (|x|<1)\end{cases}$이므로 $|x|>1$일 때 S_n이 수렴한다. 그러므로 주어진 급수가 수렴하기 위한 x의 범위는 $|x|>1$이다.

1-1. **제시문 <가>를 읽고 다음 문제에 답하시오.**

1-1 **(a). 자연수 n이 $n=p^k$이면 n이 완전수가 아님을 보이시오. (단, p는 소수이고 k는 자연수이다.)**

1-1. **(b) 자연수 n이 $n=8m($ m은 홀수)이면 n이 완전수가 아님을 보이시오.**

1−2. 제시문 <나>를 읽고 함수 $f(x)$가 아래의 네 가지 조건을 만족시킬 때 다음 문제에 답하시오.

(1) $f(x)$는 구간 $[0, \infty)$에서 연속이다.
(2) $x>0$일 때 $f(x)$가 미분가능하다.
(3) $f(0)=0$이다.
(4) $f'(x)$는 구간 $[0, \infty)$에서 증가한다.

1−2 (a). $f'(x)=f(1)$이 되는 x가 존재함을 보이시오.

1−2 (b). $x>0$일 때 $g(x)=\dfrac{f(x)}{x}$라고 하면 $g(x)$가 구간 $(0, \infty)$에서 증가함을 보이시오.

1−3. 제시문 <다>를 읽고 급수

$$\ln(1+x)+\ln(1+x^2)+\ln(1+x^4)+\cdots+\ln\left(1+x^{2^{n-1}}\right)+\cdots$$

에 대하여 다음 문제에 답하시오.

1−3 (a). 위 급수가 수렴하도록 하는 실수 x의 값의 범위를 구하시오.

1−3 (b). 위 급수의 합을 $f(x)$라고 할 때 1−3 (a)에서 구한 x의 범위에서 $y=f(x)$의 그래프를 그리시오.

논술답안지(자연계)

모 집 단 위

수 험 번 호									
0	0	0	0	0	0	0	0	0	0
1	1	1	1	1	1	1	1	1	1
2	2	2	2	2	2	2	2	2	2
3	3	3	3	3	3	3	3	3	3
4	4	4	4	4	4	4	4	4	4
5	5	5	5	5	5	5	5	5	5
6	6	6	6	6	6	6	6	6	6
7	7	7	7	7	7	7	7	7	7
8	8	8	8	8	8	8	8	8	8
9	9	9	9	9	9	9	9	9	9

생년월일 (예 : 050512)					
0	0	0	0	0	0
1	1	1	1	1	1
2	2	2	2	2	2
3	3	3	3	3	3
4	4	4	4	4	4
5	5	5	5	5	5
6	6	6	6	6	6
7	7	7	7	7	7
8	8	8	8	8	8
9	9	9	9	9	9

※감독자 확인란

성 명

문항 【1】 반드시 해당 문항의 답을 작성해야 함

1

이 줄 아래에 답안을 작성하거나 낙서할 경우 판독이 불가능하여 채점 불가

이 줄 위에 답안을 작성하거나 낙서할 경우 판독이 불가능하여 채점 불가

문항 【2】 반드시 해당 문항의 답을 작성해야 함

2

이 줄 아래에 답안을 작성하거나 낙서할 경우 판독이 불가능하여 채점 불가

이 줄 위에 답안을 작성하거나 낙서할 경우 판독이 불가능하여 채점 불가

문항 【3】 반드시 해당 문항의 답을 작성해야 함

3

이 줄 아래에 답안을 작성하거나 낙서할 경우 판독이 불가능하여 채점 불가

VI. 예시 답안

1. 2025학년도 숙명여대 모의 논술

1－1. **이차함수** $f(x)=a(x+2)(x-3)$**에 대하여 방정식** $f(f(x))=0$**의 서로 다른 실근의 개수가** 3**일 때, 실수** a**의 값을 구하시오. (단,** $a>0$**)**

1－2. **함수** $f(x)=a\sin x(0\le x\le\pi)$**에 대하여 방정식** $f(f(x))=0$**의 서로 다른 실근의 개수가** 4**일 때, 실수** a**의 범위를 구하시오. (단,** $a>0$**)**

2－1. **두 이차함수** $y=x^2$**과** $y=x^2-x$**의 그래프에 동시에 접하는 직선의 방정식을 구하시오.**

2－2. **두 이차함수** $y=-x^2-2$**과** $y=x^2-2ax+a^2+a$**의 그래프에 동시에 접하는 직선이 두 개 존재하고 서로 수직으로 만날 때, 실수** a**의 값을 구하시오.**

3－1. **함수** $f(x)=\frac{1}{2}+\left(x-\frac{1}{2}\right)^5\cos(2\pi x)$**에 대하여, 정적분**

$$\int_0^1 f(x)dx$$

의 값을 구하시오.

3－2. **실수 전체에서 연속인 함수** $f(x)$**가 상수** c**에 대하여**

$$f(x)+f(c-x)=c$$

를 만족시킨다. $\int_0^c f(x)dx=2$**일 때, 상수** c**의 값을 모두 구하시오.**

1－1

$a>0$**일 때** $f(f(x))=0$**이기 위해서는,** $f(x)=3$ **또는** $f(x)=-2$**이다.**

또, $a>0$**이고** $f'(x)=a(2x-1)=0$**이므로,** $x=\frac{1}{2}$**에서** $f(x)$**는 최솟값을 가진다.**

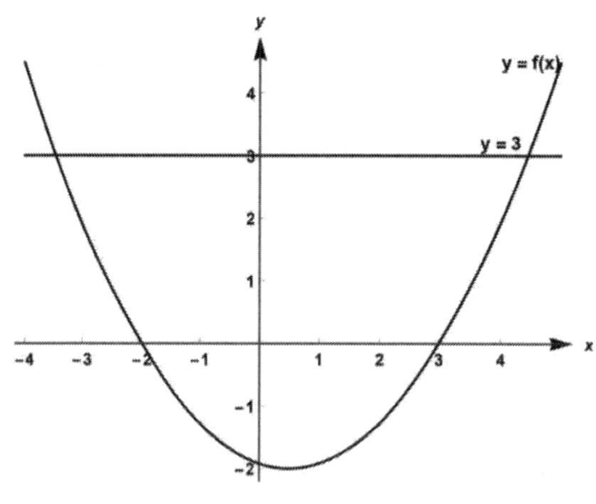

(1) $f(x)=3$**이면** $f(x)=a(x+2)(x-3)=3$**이다.**

$f\left(\frac{1}{2}\right)=a\left(\frac{1}{2}+2\right)\left(\frac{1}{2}-3\right)=-\frac{25}{4}a<0$**이므로 방정식** $f(x)=3$**은 항상 서로 다른 두 실근을 갖는다.**

(2) $f(x)=-2$**이면** $f(x)=a(x+2)(x-3)=-2$**이다.** $f(f(x))=0$**의 서로 다른 실근의 개수가** 3**이고,** $f(x)=3$**은 항상 서로 다른 두 실근을 가지므로, 방정식** $f(x)=-2$**는 오직 하나의 실근을 가져야 한다. 그러기 위해서는** $f\left(\frac{1}{2}\right)=-\frac{25}{4}a=-2$**이어야 하므로** $a=\frac{8}{25}$**이다. 따라서** $a=\frac{8}{25}$**이다.**

(별해) $f(x)=a(x+2)(x-3)=3$**을 정리하면** $ax^2-ax-6a-3=0$**이고 판별식은**

$$D=a^2+4a(6a+3)=25a^2+12a>0$$

이므로 방정식 $f(x)=3$**은 항상 서로 다른 두 실근을 갖는다.**

$f(x)=a(x+2)(x-3)=-2$**를 정리하면** $ax^2-ax-6a+2=0$**이다. 방정식** $f(x)=-2$**는 오직 하나의 실근을 가져야 하므로 판별식은**

$$D=a^2+4a(6a-2)=25a^2-8a=0$$

이다. 따라서 $a=\frac{8}{25}$**이다.**

1－2

$a>0$**일 때** $f(f(x))=0$**이기 위해서는,** $f(x)=n\pi(n=0,\ 1,\ 2,\ 3,\ \cdots)$**이다.**

또, $a>0$**이고** $f'(x)=a\cos x=0$**이므로,** $x=\frac{\pi}{2}$**에서** $f(x)$**는 최댓값을 가진다.**

(1) 방정식 $f(x)=0$**의 실근은** $x=0$**또는** $x=\pi$**이다. 따라서 방정식** $f(x)=0$**은 항상 서로 다른 두 실근을 갖는다.**

(2) 방정식 $f(x)=\pi$**가 서로 다른 두 실근을 갖기 위한 조건은** $f\left(\frac{\pi}{2}\right)=a\sin\frac{\pi}{2}=a>\pi$**이다. 또한 방정식** $f(x)=\pi$**는** $a=\pi$**일 때 한 실근을 갖는다.**

(3) 방정식 $f(x)=2\pi$**가 실근을 갖지 않을 조건은** $f\left(\frac{\pi}{2}\right)=a\sin\frac{\pi}{2}=a<2\pi$**이다.**

또한 방정식 $f(x)=2\pi$**는** $a=2\pi$**일 때 한 실근을 갖는다.**

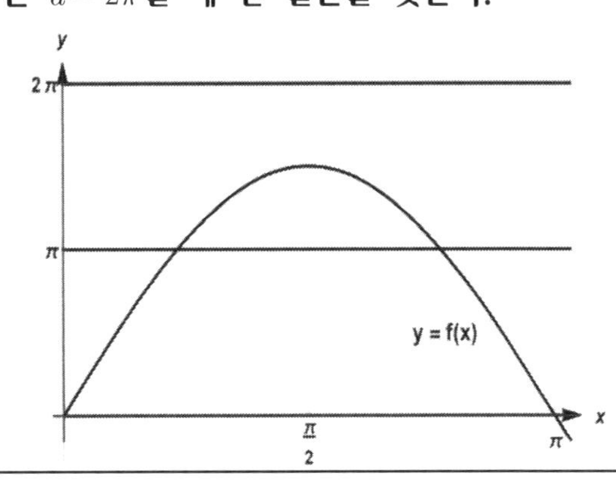

$a=\pi$일 때 서로 다른 세 실근을 갖고, $a=2\pi$일 때는 서로 다른 다섯 실근을 갖는다. 따라서 서로 다른 네 실근을 갖기 위한 a의 범위는 $\pi < a < 2\pi$이다.

■ 2-1

두 이차함수의 그래프에 동시에 접하는 직선의 방정식을 $y=mx+n$이라 하면, 두 이차방정식 $x^2=mx+n$과 $x^2-x=mx+n$은 각각 중근을 갖는다. 따라서 판별식을 이용하면

$$m^2+4n=0$$
$$(m+1)^2+4n=0$$

이다. 이 연립방정식을 풀면 $m=-\dfrac{1}{2}$, $n=-\dfrac{1}{16}$이다. 따라서 두 이차함수의 그래프에 동시에 접하는 직 선의 방정식은 $y=-\dfrac{1}{2}x-\dfrac{1}{16}$이다.

2-2

두 이차함수의 그래프에 동시에 접하는 직선의 방정식을 $y=mx+n$이라 하면, 두 이차방정식 $-x^2-2=mx+n$과 $x^2-2ax+a^2+a=mx+n$은 각각 중근을 갖는다. 따라서 판별식을 이용하면

$$m^2-4(n+2)=0$$
$$(m+2a)^2-4(-n+a^2+a)=0$$

이다. 두 식을 더하여 n을 소거하면

$$m^2+(m+2a)^2-4(a^2+a+2)=2m^2+4am-4a-8=0$$

즉,

$$m^2+2am-2a-4=0 \quad \cdots\cdots \quad ①$$

이다. 방정식 ①의 판별식은 $\dfrac{D}{4}=a^2+2a+4=(a+1)^2+3>0$이므로 모든 실수 a에 대하여 서로 다른 두 실근을 갖는다. n의 값은 m에 의하여 결정되므로 두 이차함수의 그래프에 동시에 접하는 직선이 두 개 존재한다. 방정식 ①의 두 근이 각각 두 직선의 기울기이므로, 두 직선이 서로 수직으로 만난다면 두 근의 곱이 -1이다. 따라서 근과 계수와의 관계에 의하여

$$-2a-4=-1$$

이고, 따라서 $a=-\dfrac{3}{2}$이다.

3-1

정적분

$$\int_0^1\left\{\frac{1}{2}+\left(x-\frac{1}{2}\right)^5\cos(2\pi x)\right\}dx$$

에서 $x-\dfrac{1}{2}=t$로 놓으면 $\dfrac{dx}{dt}=1$이고 $0-\dfrac{1}{2}=-\dfrac{1}{2}$, $1-\dfrac{1}{2}=\dfrac{1}{2}$이므로

$$\int_0^1 \left\{\frac{1}{2}+\left(x-\frac{1}{2}\right)^5 \cos(2\pi x)\right\}dx = \int_{-\frac{1}{2}}^{\frac{1}{2}} \left\{\frac{1}{2}+t^5 \cos\left(2\pi\left(t+\frac{1}{2}\right)\right)\right\}dt$$
$$= \frac{1}{2} - \int_{-\frac{1}{2}}^{\frac{1}{2}} t^5 \cos(2\pi t)dt$$

이다. $g(t)=t^5\cos(2\pi t)$**라 하면** $g(-t)=-g(t)$**이므로**

$$\int_{-\frac{1}{2}}^{\frac{1}{2}} t^5 \cos(2\pi t)dt = 0$$

이다. 따라서

$$\int_0^1 f(x)dx = \frac{1}{2}$$

이다.

3－2

함수 $f(x)$**의 성질에 의하여**

$$\int_0^c \{f(x)+f(c-x)\}dx = c^2 \quad \cdots\cdots \quad ②$$

이다. $c-x=t$**라 하면** $\frac{dx}{dt}=-1$**이고** $c-0=c$, $c-c=0$**이므로**

$$\int_0^c f(c-x)dx = \int_0^c f(t)dt$$

이다. ②에서 정적분의 성질을 이용하면

$$\int_0^c \{f(x)+f(c-x)\}dx = \int_0^c f(x)dx + \int_0^c f(c-x)dx = 2\int_0^c f(t)dt = c^2$$

이므로

$$\int_0^c f(x)dx = \frac{1}{2}c^2$$

이다. 따라서

$$\int_0^c f(x)dx = 2$$

를 만족시키는 실수 c**의 값은** $c=\pm 2$**이다.**

2. 2025학년도 숙명여대 모의 논술 (약학부)

1－1. **이차함수** $f(x)=a(x+2)(x-3)$**에 대하여 방정식** $f(f(x))=0$**의 서로 다른 실근의 개수가** 3**일 때, 실수** a**의 값을 구하시오. (단,** $a>0$**)**

1－2. **함수** $f(x)=a\sin x(0\le x\le \pi)$**에 대하여 방정식** $f(f(x))=0$**의 서로 다른 실근의 개수가** 4**일 때, 실수** a**의 범위를 구하시오. (단,** $a>0$**)**

2－1. 두 이차함수 $y=-x^2-2$과 $y=x^2-2ax+a^2+a$의 그래프에 동시에 접하는 직선이 두 개 존재하고 서로 수직으로 만날 때 실수 a의 값을 구하시오.

2－2. 두 이차함수 $y=-x^2-2$과 $y=x^2-2ax+a^2+a$의 그래프에 동시에 접하는 직선이 두 개 존재하고 서로 수직으로 만날 때, 실수 a의 값을 구하시오.

3－1. 실수 전체에서 연속인 함수 $f(x)$가 상수 c에 대하여

$$f(x)+f(c-x)=c$$

를 만족시킨다. $\int_0^c f(x)dx=2$일 때, 상수 c의 값을 모두 구하시오.

3－2. 실수 전체에서 연속인 함수 $f(x)$가 상수 c에 대하여

$$f(x)+f(c-x)=c$$

를 만족시킨다. 정적분

$$\int_{\frac{c}{4}}^{\frac{3c}{4}} f(f(x))dx$$

의 값을 구하시오.

1－1

$a>0$일 때 $f(f(x))=0$이기 위해서는, $f(x)=3$ 또는 $f(x)=-2$이다.

또, $a>0$이고 $f'(x)=a(2x-1)=0$이므로, $x=\frac{1}{2}$에서 $f(x)$는 최솟값을 가진다.

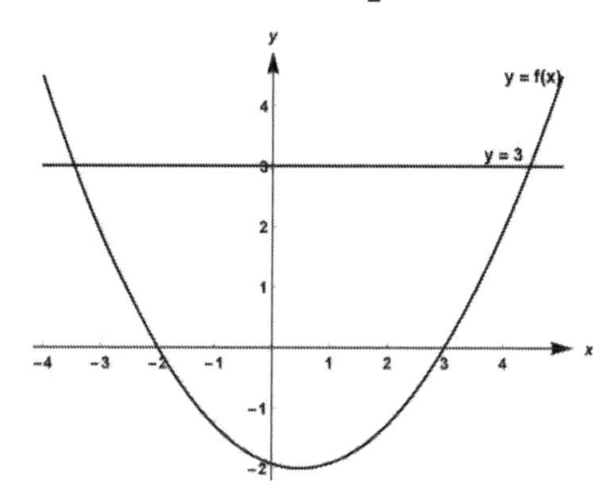

(1) $f(x)=3$이면 $f(x)=a(x+2)(x-3)=3$이다.

$f\left(\frac{1}{2}\right)=a\left(\frac{1}{2}+2\right)\left(\frac{1}{2}-3\right)=-\frac{25}{4}a<0$이므로 방정식 $f(x)=3$은 항상 서로 다른 두 실근을 갖는다.

(2) $f(x)=-2$이면 $f(x)=a(x+2)(x-3)=-2$이다. $f(f(x))=0$의 서로 다른 실근의 개수가 3이고, $f(x)=3$은 항상 서로 다른 두 실근을 가지므로, 방정식 $f(x)=-2$는 오직 하나의 실근을 가져야 한다. 그러기 위해서는 $f\left(\frac{1}{2}\right)=-\frac{25}{4}a=-2$이어야 하므로 $a=\frac{8}{25}$이다. 따라서 $a=\frac{8}{25}$이다.

(별해) $f(x)=a(x+2)(x-3)=3$**을 정리하면** $ax^2-ax-6a-3=0$**이고 판별식은**

$$D=a^2+4a(6a+3)=25a^2+12a>0$$

이므로 방정식 $f(x)=3$**은 항상 서로 다른 두 실근을 갖는다.**

$f(x)=a(x+2)(x-3)=-2$**를 정리하면** $ax^2-ax-6a+2=0$**이다. 방정식** $f(x)=-2$**는 오직 하나의 실근을 가져야 하므로 판별식은**

$$D=a^2+4a(6a-2)=25a^2-8a=0$$

이다. 따라서 $a=\dfrac{8}{25}$**이다.**

1-2

$a>0$**일 때** $f(f(x))=0$**이기 위해서는,** $f(x)=n\pi(n=0,\ 1,\ 2,\ 3,\ \cdots)$**이다.**

또, $a>0$**이고** $f'(x)=a\cos x=0$**이므로,** $x=\dfrac{\pi}{2}$**에서** $f(x)$**는 최댓값을 가진다.**

(1) 방정식 $f(x)=0$**의 실근은** $x=0$**또는** $x=\pi$**이다. 따라서 방정식** $f(x)=0$**은 항상 서로 다른 두 실근을 갖는다.**

(2) 방정식 $f(x)=\pi$**가 서로 다른 두 실근을 갖기 위한 조건은** $f\left(\dfrac{\pi}{2}\right)=a\sin\dfrac{\pi}{2}=a>\pi$**이다. 또한 방정식** $f(x)=\pi$**는** $a=\pi$**일 때 한 실근을 갖는다.**

(3) 방정식 $f(x)=2\pi$**가 실근을 갖지 않을 조건은** $f\left(\dfrac{\pi}{2}\right)=a\sin\dfrac{\pi}{2}=a<2\pi$**이다.**

또한 방정식 $f(x)=2\pi$**는** $a=2\pi$**일 때 한 실근을 갖는다.**

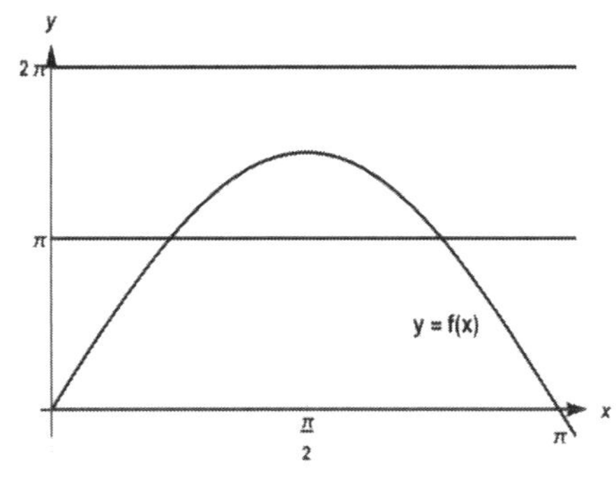

$a=\pi$**일 때 서로 다른 세 실근을 갖고,** $a=2\pi$**일 때는 서로 다른 다섯 실근을 갖는다. 따라서 서로 다른 네 실근을 갖기 위한** a**의 범위는** $\pi<a<2\pi$**이다.**

2-1

두 이차함수의 그래프에 동시에 접하는 직선의 방정식을 $y=mx+n$**이라 하면, 두 이차방정식** $-x^2-2=mx+n$**과** $x^2-2ax+a^2+a=mx+n$**은 각각 중근을 갖는다. 따라서 판별식을 이용하면**

$$m^2-4(n+2)=0$$
$$(m+2a)^2-4(-n+a^2+a)=0$$

이다. 두 식을 더하여 n**을 소거하면**

$$m^2+(m+2a)^2-4(a^2+a+2)=2m^2+4am-4a-8=0$$

즉,

$$m^2+2am-2a-4=0 \quad \cdots\cdots \quad ①$$

이다. 방정식 ①의 판별식은 $\frac{D}{4}=a^2+2a+4=(a+1)^2+3>0$**이므로 모든 실수** a**에 대하여 서로 다른 두 실근을 갖는다.** n**의 값은** m**에 의하여 결정되므로 두 이차함수의 그래프에 동시에 접하는 직선이 두 개 존재한다. 방정식 ①의 두 근이 각각 두 직선의 기울기이므로, 두 직선이 서로 수직으로 만난다면 두 근의 곱이** -1**이다. 따라서 근과 계수와의 관계에 의하여**

$$-2a-4=-1$$

이고, 따라서 $a=-\frac{3}{2}$**이다.**

2-2

두 이차함수의 그래프에 동시에 접하는 직선의 방정식을 $y=mx+n$**이라 하면, 두 이차방정식** $-x^2-2=mx+n$**과** $x^2-2ax+a^2+a=mx+n$**은 각각 중근을 갖는다. 따라서 판별식을 이용하면**

$$m^2-4(n+2)=0$$
$$(m+2a)^2-4(-n+a^2+a)=0$$

이다. 두 식을 더하여 n**을 소거하면**

$$m^2+(m+2a)^2-4(a^2+a+2)=2m^2+4am-4a-8=0$$

즉,

$$m^2+2am-2a-4=0 \quad \cdots\cdots \quad ①$$

이다. 방정식 ①의 판별식은 $\frac{D}{4}=a^2+2a+4=(a+1)^2+3>0$**이므로 모든 실수** a**에 대하여 서로 다른 두 실근을 갖는다.** n**의 값은** m**에 의하여 결정되므로 두 이차함수의 그래프에 동시에 접하는 직선이 두 개 존재한다. 방정식 ①의 두 근이 각각 두 직선의 기울기이므로, 두 직선이 서로 수직으로 만난다면 두 근의 곱이** -1**이다. 따라서 근과 계수와의 관계에 의하여**

$$-2a-4=-1$$

이고, 따라서 $a=-\frac{3}{2}$**이다.**

3-1

정적분

$$\int_0^1\left\{\frac{1}{2}+\left(x-\frac{1}{2}\right)^5\cos(2\pi x)\right\}dx$$

에서 $x-\frac{1}{2}=t$**로 놓으면** $\frac{dx}{dt}=1$**이고** $0-\frac{1}{2}=-\frac{1}{2}$, $1-\frac{1}{2}=\frac{1}{2}$**이므로**

$$\int_0^1 \left\{\frac{1}{2}+\left(x-\frac{1}{2}\right)^5 \cos(2\pi x)\right\}dx = \int_{-\frac{1}{2}}^{\frac{1}{2}} \left\{\frac{1}{2}+t^5 \cos\left(2\pi\left(t+\frac{1}{2}\right)\right)\right\}dt$$
$$= \frac{1}{2} - \int_{-\frac{1}{2}}^{\frac{1}{2}} t^5 \cos(2\pi t)dt$$

이다. $g(t) = t^5\cos(2\pi t)$**라 하면** $g(-t) = -g(t)$**이므로**

$$\int_{-\frac{1}{2}}^{\frac{1}{2}} t^5 \cos(2\pi t)dt = 0$$

이다. 따라서

$$\int_0^1 f(x)dx = \frac{1}{2}$$

이다.

3－2

함수 $f(x)$**의 성질에 의하여**

$$\int_0^c \{f(x)+f(c-x)\}dx = c^2 \quad \cdots\cdots \quad ②$$

이다. $c-x=t$**라 하면** $\frac{dx}{dt}=-1$**이고** $c-0=c$, $c-c=0$**이므로**

$$\int_0^c f(c-x)dx = \int_0^c f(t)dt$$

이다. ②에서 정적분의 성질을 이용하면

$$\int_0^c \{f(x)+f(c-x)\}dx = \int_0^c f(x)dx + \int_0^c f(c-x)dx = 2\int_0^c f(t)dt = c^2$$

이므로

$$\int_0^c f(x)dx = \frac{1}{2}c^2$$

이다. 따라서

$$\int_0^c f(x)dx = 2$$

를 만족시키는 실수 c**의 값은** $c=\pm 2$**이다.**

3. 2024학년도 숙명여대 수시 논술

1－1. 제시문 <가>를 이용하여, 제시문 <나>에 있는 명제 ①이 참임을 증명하시오.

1－2. 실수 전체의 집합에서 미분가능한 함수 $f(x)$는 열린구간 (a, b)에서 $f''(x)<0$을 만족시킨다.

이 때,

$$(b-a)\{f(a)+f(b)\} \le 2\int_a^b f(x)dx$$

임을 보이시오.

2-1. 연속함수 $g(x)$는 모든 실수 x에 대하여 $g(x+1)=g(x)$를 만족시키고, 연속함수 $h(x)$는 모든 실수 x에 대하여 $h(x+2)=h(x)$를 만족시키고

$$h(x)=\begin{cases} x & (0 \le x < 1) \\ 2-x & (1 \le x < 2) \end{cases}$$

이다. 정적분 $\int_0^2 g(x)h(x)dx$의 값을 A라 할 때, 임의의 자연수 n에 대하여 정적분

$$\int_{2n}^{2(n+1)} g(x)h(x)dx, \quad \int_0^1 g(x)dx$$

의 값을 각각 구하시오.

2-2. 연속함수 $f(x)$가 모든 실수 x에 대하여 $f(x)>0$이고 $f(x)f(-x)=1$을 만족시킬 때, 정적분

$$\int_{-1}^{1} \frac{1}{\{f(x)\}^4+1} dx$$

의 값을 구하시오.

3-1. b가 자연수일 때, 삼차함수 $g(x)=x(x-1)(x-b)$에 대하여 방정식 $g'(x)=0$의 두 근이 동시에 정수가 될 수 없음을 제시문 <마>를 이용하여 보이시오.

3-2. 제시문 <바>에 있는 명제 ②가 참임을 증명하시오.
또한 t에 대한 삼차방정식 (4)에서 $u=1$일 때, 제시문 <바>에 있는 삼차함수 $f(x)$에 대하여 세 방정식

$$f(x)=0, \quad f'(x)=0, \quad f''(x)=0$$

의 모든 근이 유리수가 되게 하는 4이하의 자연수 v를 식 (6)을 이용하여 모두 찾고, 이에 대응하는 삼차함수

$$f(x)=(x^2+x+a)(x-b)$$

를 각각 구하시오.

1-1

닫힌구간 $[a, b]$에서 연속인 함수 $f(x)$가 열린구간 (a, b)에서 $f''(x)<0$이므로 함수 $f(x)$는 열린구간 (a, b)에서 미분 가능하다. 또한 $f(a)=f(b)=0$이므로 <롤의 정리>에 의하여 $f'(c)=0$인 c가 열린구간 (a, b)에 적어도 하나 존재한다. 그런데 함수 $f(x)$가 열린구간 (a, b)에서 $f''(x)<0$이므로 이 구간에서 $f'(x)$는 감소한다. 따라서 $f'(c)=0$을 만족시키는 c가 열린구간 (a, b)에서 오직 하나만 존재한다. 한편 열린구간 (a, b)에서

$f'(x)$는 감소하고 $f'(c)=0$이므로 함수 $f(x)$의 증감은 다음과 같다.

(ⅰ) 열린구간 $(a,\ c)$에서 $f'(x)>0$이므로 함수 $f(x)$는 이 구간에서 증가한다.

(ⅱ) 열린구간 $(c,\ b)$에서 $f'(x)<0$이므로 함수 $f(x)$는 이 구간에서 감소한다.

또한 $f(a)=0$이므로 (ⅰ)에 의하여 열린구간 $(a,\ c)$에서 $f(x)>0$이고, $f(b)=0$이므로 (ⅱ)에 의하여 열린구간 $(c,\ b)$에서 $f(x)>0$이다. 따라서 함수 $f(x)$가 닫힌구간 $[a,\ b]$에서 연속이므로 이 구간에서 $f(x)\geq 0$이다.

1-2

실수 전체의 집합에서 미분가능한 함수 $f(x)$에 대하여, 닫힌구간 $[a,\ b]$에서 두 점 $(a,\ f(a))$와 $(b,\ f(b))$를 지나는 일차함수 $h(x)=\dfrac{f(b)-f(a)}{b-a}(x-a)+f(a)$의 그래프를 생각하자.

이때, 함수 $F(x)=f(x)-h(x)$는 $F(a)=0,\ F(b)=0$을 만족시킨다.

열린구간 $(a,\ b)$에서 $F''(x)=f''(x)-h''(x)=f''(x)<0$이므로

명제 ①에 의하여 닫힌구간 $[a,\ b]$에서 $F(x)\geq 0$이다.

따라서 닫힌구간 $[a,\ b]$에서

$$\int_a^b F(x)dx=\int_a^b\{f(x)-h(x)\}dx=\int_a^b f(x)dx-\int_a^b h(x)dx\geq 0$$

이므로 $\displaystyle\int_a^b h(x)dx\leq\int_a^b f(x)dx$이다.

한편

$$\begin{aligned}\int_a^b h(x)dx&=\int_a^b\left\{\frac{f(b)-f(a)}{b-a}(x-a)+f(a)\right\}dx\\&=\left[\frac{1}{2}\frac{f(b)-f(a)}{b-a}x^2-a\frac{f(b)-f(a)}{b-a}x+f(a)x\right]_a^b\\&=\frac{1}{2}(b-a)\{f(a)+f(b)\}\end{aligned}$$

이고, $(b-a)\{f(a)+f(b)\}\leq 2\displaystyle\int_a^b f(x)dx$이다.

2-1

정적분 $\displaystyle\int_{2n}^{2(n+1)}g(x)h(x)dx$에서 $x-2n=t$로 놓으면, $\dfrac{dx}{dt}=1$이고

$$\int_{2n}^{2(n+1)}g(x)h(x)dx=\int_0^2 g(t+2n)h(t+2n)dt=\int_0^2 g(t)h(t)dt=A$$

이다. 이제 정적분의 성질을 이용하여 적분 구간을 나누면

$$A=\int_0^2 g(x)h(x)dx=\int_0^1 xg(x)dx+\int_1^2(2-x)g(x)dx\text{............(1)}$$

이다. 이때 $\int_1^2 (2-x)g(x)dx$의 값을 구하기 위해, $x-1=t$로 놓으면, $\frac{dx}{dt}=1$이고

$$\int_1^2 (2-x)g(x)dx = \int_0^1 (1-t)g(t+1)dt = \int_0^1 (1-t)g(t)dt$$

이다. 따라서 (1)에 의하여

$$A = \int_0^2 g(x)h(x)dx = \int_0^1 xg(x)dx + \int_0^1 (1-x)g(x)dx = \int_0^1 g(x)dx$$

이다.

2-2

정적분 $\int_{-1}^1 \frac{1}{\{f(x)\}^4+1}dx$에서 $f(x)=\frac{1}{f(-x)}$이므로

$$\int_{-1}^1 \frac{1}{\{f(x)\}^4+1}dx = \int_{-1}^1 \frac{1}{\left\{\frac{1}{f(-x)}\right\}^4+1}dx = \int_{-1}^1 \frac{\{f(-x)\}^4}{\{f(-x)\}^4+1}dx$$

이다. $-x=t$로 놓으면, $\frac{dx}{dt}=-1$이고

$$\int_{-1}^1 \frac{\{f(-x)\}^4}{\{f(-x)\}^4+1}dx = -\int_1^{-1} \frac{\{f(t)\}^4}{\{f(t)\}^4+1}dt = \int_{-1}^1 \frac{\{f(t)\}^4}{\{f(t)\}^4+1}dt$$

이다. 따라서

$$\int_{-1}^1 \frac{1}{\{f(x)\}^4+1}dx = \int_{-1}^1 \frac{\{f(x)\}^4}{\{f(x)\}^4+1}dx \text{......(2)}$$

이고, $\int_{-1}^1 \left[\frac{1}{\{f(x)\}^4+1} + \frac{\{f(x)\}^4}{\{f(x)\}^4+1}\right]dx = \int_{-1}^1 \frac{\{f(x)\}^4+1}{\{f(x)\}^4+1}dx = 2$이다.

(2)에 의하여 $\int_{-1}^1 \frac{1}{\{f(x)\}^4+1}dx = 1$이다.

3-1

b가 자연수일 때, 삼차함수 $g(x)=x(x-1)(x-b)=x^3-(b+1)x^2+bx$에 대하여 $g'(x)=3x^2-2(b+1)x+b$이다.

이차방정식 $g'(x)=0$의 두 근을 α, β라 하면 <이차방정식의 근과 계수의 관계>에 의해

$$\alpha+\beta=\frac{2}{3}(b+1),\ \alpha\beta=\frac{b}{3} \text{......(1)}$$

이다.

α, β가 모두 정수라 가정하면, b가 자연수이므로 (1)에 의해 $\alpha+\beta$, $\alpha\beta$는 자연수이며,

$$2(b+1)=3(\alpha+\beta) \text{.......(2)}$$

$$b=3\alpha\beta \text{........(3)}$$

이다.

3은 2와 서로소이므로 (2)에 의해 $b+1$은 3의 배수이고, (3)에 의해 b는 3의 배수이다. 이는 모순이므로 방정식 $g'(x)=0$의 두 근이 동시에 정수가 될 수 없다.

3-2

이차함수 $F(x)=a(x-r)(x-s)$에 대해 $F'(x)=a(2x-r-s)$이다.

이차방정식 $F(x)=0$의 두 근 r, s가 유리수이면, 방정식 $F'(x)=0$의 근 $\frac{r+s}{2}$는 유리수이다.

$u=1$**일 때, 제시문 <바>에 있는 식 (6)은** $\frac{1\pm\sqrt{1+3v^2}}{3}$**이다.**

(i) $v=1$**이면** $\frac{1\pm\sqrt{1+3v^2}}{3}=\frac{1\pm2}{3}$**이므로, 제시문 <바>에 있는** t**에 대한 방정식 (5)의 두 근은 유리수가 된다. 그런데 제시문 <바>에 있는 (3)에서** $x=t-\frac{1}{2}$**이므로, 이차방정식** $f'(x)=0$**의 두 근은 유리수가 된다. 한편, 제시문 <바>에 있는 (3)에 의해** $1=b+\frac{1}{2}$, $1=\frac{1-4a}{4}$**이므로** $a=-\frac{3}{4}$, $b=\frac{1}{2}$**이다.**

따라서 $v=1$**에 대응하는** $f(x)=0$, $f'(x)=0$**의 모든 근이 유리수가 되게 하는 삼차함수는** $f(x)=\left(x^2+x-\frac{3}{4}\right)\left(x-\frac{1}{2}\right)$**이다.**

이때, 명제 ②에 의해 방정식 $f''(x)=0$**의 근도 유리수이다.**

(ii) $v=2$**이면** $\frac{1\pm\sqrt{1+3v^2}}{3}=\frac{1\pm\sqrt{13}}{3}$**이므로, 제시문 <바>에 있는** t**에 대한 방정식 (5)의 두 근은 무리수가 된다.**

그런데 제시문 <바>에 있는 (3)에서 $x=t-\frac{1}{2}$**이므로, 이차방정식** $f'(x)=0$**의 두 근은 무리수가 된다.**

따라서 $v=2$**에 대응하는** $f'(x)=0$**의 모든 근이 유리수가 되게 하는 삼차함수** $f(x)=(x^2+x+a)(x-b)$**는 존재하지 않는다.**

(iii) $v=3$**이면** $\frac{1\pm\sqrt{1+3v^2}}{3}=\frac{1\pm2\sqrt{7}}{3}$**이므로, 제시문 <바>에 있는** t**에 대한 방정식 (5)의 두 근은 무리수가 된다.**

그런데 제시문 <바>에 있는 (3)에서 $x=t-\frac{1}{2}$**이므로, 이차방정식** $f'(x)=0$**의 두 근은 무리수가 된다. 따라서** $v=3$**에 대응하는** $f'(x)=0$**의 모든 근이 유리수가 되게 하는 삼차함수** $f(x)=(x^2+x+a)(x-b)$**는 존재하지 않는다.**

(ⅳ) $v=4$이면 $\frac{1\pm\sqrt{1+3v^2}}{3}=\frac{1\pm7}{3}$이므로, 제시문 <바>에 있는 t에 대한 방정식 (5)의 두 근은 유리수가 된다. 그런데 제시문 <바>에 있는 (3)에서 $x=t-\frac{1}{2}$이므로, 이차방정식 $f'(x)=0$의 두 근은 유리수가 된다. 한편, 제시문 <바>에 있는 (3)에 의해 $1=b+\frac{1}{2}$, $16=\frac{1-4a}{4}$이므로 $a=-\frac{63}{4}$, $b=\frac{1}{2}$이다. 따라서 $v=4$에 대응하는 $f(x)=0$, $f'(x)=0$의 모든 근이 유리수가 되게 하는 삼차함수는 $f(x)=\left(x^2+x-\frac{63}{4}\right)\left(x-\frac{1}{2}\right)$이다. 이때 명제 ②에 의해 방정식 $f''(x)=0$의 근도 유리수이다.

4. 2024학년도 숙명여대 모의 논술

1－1. $n\ge3$인 모든 자연수에 대하여

$$(n+1)\ln n > n\ln(n+1)$$

임을 수학적 귀납법으로 보이시오.

1－2. $x\ge3$인 모든 실수에 대하여

$$\frac{\ln x}{x} > \frac{\ln(x+1)}{x+1}$$

임을 보이시오. (단, 무리수 $e=2.72$이다.)

2－1. 삼차함수 $g(x)=-4x^3+6x^2+24x+5$와 다항함수 $f(x)$는

$$\int_0^x \{g'(t)+g(t)\}dt = xg(x)+f(x)+c \quad \cdots\cdots \quad ①$$

를 만족시킨다. 방정식 $f(x)=0$이 서로 다른 세 실근을 갖도록 하는 실수 c의 값을 모두 구하시오.

2－2. 다항함수 $f(x)$는 문제 2－1의 ①을 만족시킨다. 이때, $-19<c<8$인 실수 c에 대하여 $|f(x)|$의 서로 다른 극값의 개수가 3이 되게 하는 실수 c의 값을 모두 구하시오.

3－1. ⓛ에 있는 각각의 주머니 k에서 2^{k-1}개의 동전을 꺼내, 그 꺼낸 모든 동전들의 무게를 쟀을 때, 그 무게의 합이 꺼낸 동전 모두가 진짜일 때의 합보다 $2^4+2^5+2^8$그램이 작다면, 가짜 동전들이 들어 있는 주머니들은 무엇인가? 가능한 주머니들의 경우를 찾으시오. 또한 부등식 (1)에서 등호가 성립할 때, 제 시문 <다>에서 주어진 집합 A_{10}의 한 예를 찾으시오.

3－2. 제시문 <다>에서 주어진 집합 A_{10}의 공집합이 아닌 서로 다른 모든 부분집합 C_1, C_2, $\cdots$, C_N의 개수는 $N=2^{10}-1$이다. $1\le k\le N$인 자연수 k에 대하여, $S(C_k)$를 집합 C_k의 모든 원소들의 합이라고 할 때, 집합

$$C=\{S(C_1),\ S(C_2),\ \cdots,\ S(C_N)\}$$

의 서로 다른 원소의 개수를 구하고, 이 개수와 ⓒ을 이용하여 부등식 (1)을 보이시오. 또한 모든 원소가 서로 다른 10개의 자연수인 집합 중, 다음을 만족시키는 집합이 존재하는지를 판단하시오.

ⓐ 집합의 원소 중, 가장 큰 자연수가 104이다.
ⓑ 공집합이 아닌 서로 다른 모든 부분집합의 원소의 합이 서로 다르다.

1－1

먼저 $n=3$일 때를 생각하면,

$$(\text{좌변})=4\ln 3=\ln 3^4=\ln 81,\ (\text{우변})=3\ln 4=\ln 4^3=\ln 64$$

이다. 따라서 $n=3$일 때 주어진 부등식이 성립한다.

$n=k(k\geq 3)$일 때 주어진 부등식이 성립한다고 가정하면

$$(k+1)\ln k>k\ln(k+1)$$

이다. $n=k+1$일 때를 생각하면,

$$\begin{aligned}(k+2)\ln(k+1)&=(k+2)\ln(k+1)-(k+1)\ln k+(k+1)\ln k\\&>(k+2)\ln(k+1)-(k+1)\ln k+k\ln(k+1)\\&=2(k+1)\ln(k+1)-(k+1)\ln k\\&=(k+1)\ln\frac{(k+1)^2}{k}=(k+1)\ln\left(k+2+\frac{1}{k}\right)\\&>(k+1)\ln(k+2)\end{aligned}$$

이다. 따라서, $(k+2)\ln(k+1)>(k+1)\ln(k+2)$이므로, $n=k+1$일 때도 성립한다.

1－2

함수 $f(x)=\dfrac{\ln x}{x}(x\geq 3)$에서 양변을 x에 대하여 미분하면

$$f'(x)=\frac{\frac{1}{x}\times x-1\times\ln x}{x^2}=\frac{1-\ln x}{x^2}=\frac{\ln\frac{e}{x}}{x^2}$$

이다. 무리수 $e=2.72$이므로, $x\geq 3$일 때 $\dfrac{e}{x}<1$이고, $\ln\dfrac{e}{x}<0$이므로 $f'(x)<0$이다. 따라서 $f(x)$는 $x\geq 3$에서 감소하고, $x\geq 3$인 모든 실수에 대하여 $f(x)>f(x+1)$이다. 따라서

$$\frac{\ln x}{x}>\frac{\ln(x+1)}{x+1}$$

이다.

■ 2－1

주어진 삼차함수 $g(x)$의 도함수 $g'(x)=-12(x+1)(x-2)$이다. 그리고 "정적분과 미분의

관계"를 이용 하여 주어진 등식 ①을 x에 대하여 미분하면

$$g(x)+g'(x)=g(x)+xg'(x)+f'(x)$$

이고, 양변을 정리하면

$$(1-x)g'(x)=12(x+1)(x-1)(x-2)=f'(x)$$

이다. 한편 등식 ①에서 $x=0$을 대입하면 $f(0)=-c$임을 알 수 있다. 다항함수 $f(x)$의 도함수

$$f'(x)=12(x+1)(x-1)(x-2)$$

이므로,

$$f(x)=3x^4-8x^3-6x^2+24x-c$$

이다. 따라서, 방정식 $f(x)=3x^4-8x^3-6x^2+24x-c=0$의 실근의 개수는 두 함수

$$y=3x^4-8x^3-6x^2+24x,\ y=c$$

의 그래프의 교점의 개수와 같다.

$$h(x)=3x^4-8x^3-6x^2+24x$$

라고 하면

$$h'(x)=f'(x)=12(x+1)(x-1)(x-2)$$

이므로 $h'(x)=0$으로부터 $x=-1$, $x=1$, 또는 $x=2$이다. $h'(x)$의 부호를 조사하여 함수 $h(x)$의 증가와 감소를 표로 나타내고, 그 그래프의 개형을 그리면 다음과 같다.

x	$\cdots$	-1	$\cdots$	1	$\cdots$	2	$\cdots$
$h'(x)$	$-$	0	$+$	0	$-$	0	$+$
$h(x)$	↘	0	↗	0	↘	0	↗

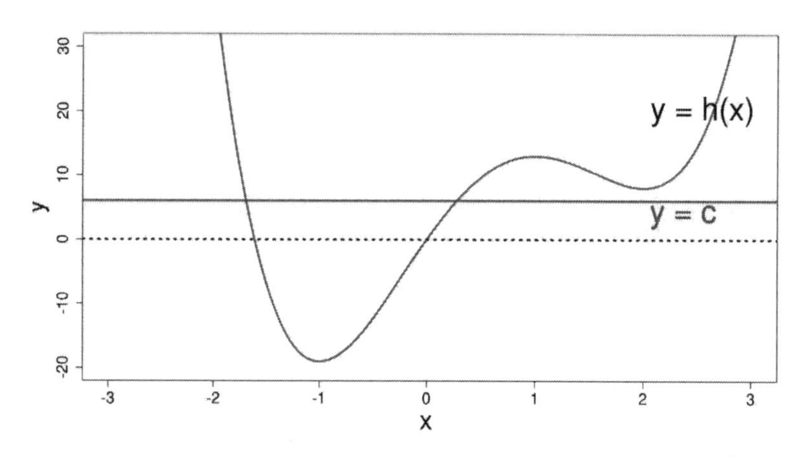

따라서 주어진 방정식이 서로 다른 세 실근을 갖기 위한 실수 $c=h(2)=8$또는 $c=h(1)=13$이다.

2-2

문제 2-1의 풀이로부터 함수 $f(x)=3x^4-8x^3-6x^2+24x-c$는 $x=-1,\ 1,\ 2$에서 극값을 가지며 각각의 극값은 $f(-1)=-19-c$, $f(1)=13-c$, $f(2)=8-c$이다. 이때, 실수 c

의 값의 범위가 $-19<c<8$**이 므로 부등식**

$$f(-1)<0<f(2)<f(1)$$

을 만족시킨다. 또한, 함수 $|f(x)|$**는** $f(x)=0$**을 만족시키는** x**에서 극솟값을 갖는다. 따라서 실수** c**의 값에 따라 함수** $|f(x)|$**의 서로 다른 극값의 개수가** 3**이 되게 하는 경우는** 2 **가지 밖에 없다. (아래 그림 참조)**

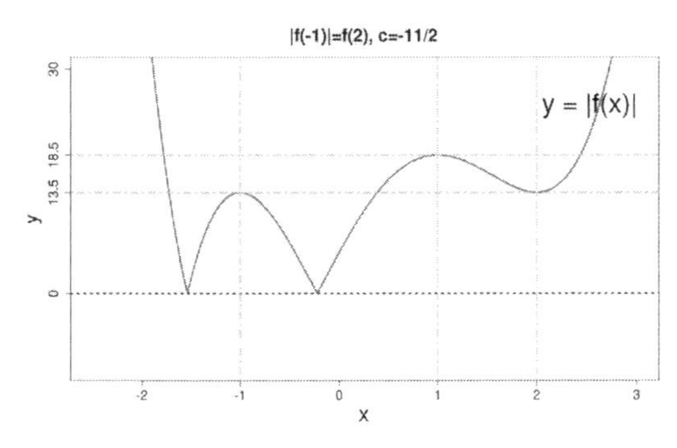

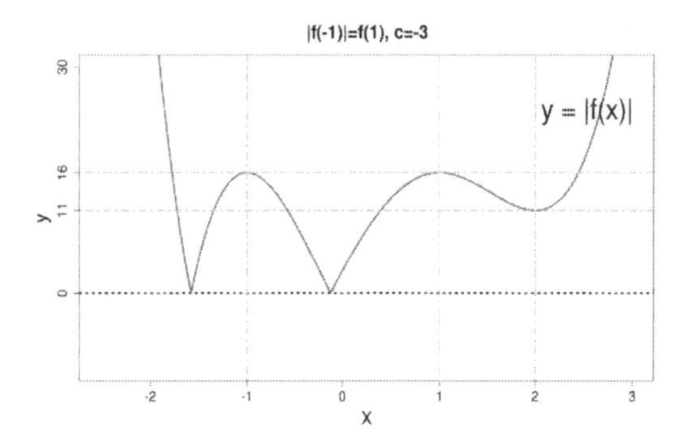

경우 $1.|f(-1)|=f(2)$

이 경우에는 함수 $f(x)$**의 가장 작은 극솟값인** $f(-1)$**의 절댓값이 함수** $f(x)$**의 두 번째로 작은 극솟값인** $f(2)$**와 같아진다. 이 때,** $|f(-1)|=f(2)$**을 만족시키는 실수** $c=-\dfrac{11}{2}$**이다.**

경우 $2.\ |f(-1)|=f(1)$

이 경우에는 함수 $f(x)$**의 가장 작은 극솟값인** $f(-1)$**의 절댓값이 함수** $f(x)$**의 극댓값인** $f(1)$**과 같아진다. 이때,** $|f(-1)|=f(1)$**을 만족시키는 실수** $c=-3$**이다.**

$3-1$

ⓛ에 있는 주머니5**, 주머니**6**, 주머니**9**가 가짜 동전들이 들어 있는 주머니이고 나머지 주머니에는 진짜 동전들이 들어 있다면, 각각의 주머니** k**에서** 2^{k-1}**개의 동전을 꺼내, 그 꺼낸 동전들의 무게를 쟀을 때, 그 무게의 합이 꺼낸 동전 모두가 진짜일 때의 합보다**

$$2^4+2^5+2^8$$

그램이 작다. 한편, 집합 $\{1,\ 2,\ 2^2,\ 2^3,\ \cdots,\ 2^9\}$**의 부분집합** $\{2^4,\ 2^5,\ 2^8\}$**의 원소들의 합이** $2^4+2^5+2^8$**이고, 집합** $\{1,\ 2,\ 2^2,\ 2^3,\ \cdots,\ 2^9\}$**의 공집합이 아닌 각각의 부분집합의 원소의 합은 서로 다르므로, 원소들의 합이** $2^4+2^5+2^8$**인 부분집합은**

$$\{2^4,\ 2^5,\ 2^8\}$$

이 유일하다. 따라서, 가짜 동전들이 들어 있는 가능한 주머니들의 경우는

주머니5**, 주머니**6**, 주머니**9

가 유일하다.

집합 $\{1,\ 2,\ 2^2,\ 2^3,\ \cdots,\ 2^9\}$**의 원소의 합은** $1+2+2^2+2^3+\cdots+2^9=2^{10}-1$**이고 이 합은 부등식 (1)의 우변과 같다. 집합** $\{1,\ 2,\ 2^2,\ 2^3,\ \cdots,\ 2^9\}$**의 공집합을 제외한 모든 부분집**

합은 원소의 합이 다르므로, 부등식 (1)에서 등호가 성립할 때의 가능한 집합 A_{10}은 집합 $\{1,\ 2,\ 2^2,\ 2^3,\ \cdots,\ 2^9\}$이 있다.

3-2

$1 \le k \le N$인 자연수 k에 대하여, $S(C_k)$를 집합 C_k의 모든 원소들의 합이라 하고, 집합

$$C=\{S(C_1),\ S(C_2),\ \cdots,\ S(C_N)\}$$

을 생각하자. 집합 A_{10}의 공집합이 아닌 서로 다른 모든 부분집합의 원소의 합은 서로 다르므로 각각의 $S(C_k)$의 값은 모두 다르다. 따라서 집합 C의 원소의 개수는 "집합 A_{10}의 공집합이 아닌 서로 다른 모든 부분집합 $C_1,\ C_2,\ \cdots,\ C_N$의 개수"와 같으므로 $N=2^{10}-1$이다. 한편, 집합 C의 원소 중에서 가장 큰 원소는 $a_1+a_2+\cdots+a_{10}$이므로, ㉢에 의해 집합 C의 원소의 개수 $2^{10}-1$은 집합 C의 원소 중 가장 큰 자연수 $a_1+a_2+\cdots+a_{10}$보다 작거나 같다. 즉,

$$a_1+a_2+\cdots+a_{10} \ge 2^{10}-1$$

이다.

제시문에 의하면 집합 A_{10}의 원소 중 가장 큰 자연수 x는 107보다 크거나 같다. 따라서, 서로 다른 10개의 자연수를 원소로 가진 집합 중, 가장 큰 원소가 104이고 공집합이 아닌 모든 부분집합의 원소의 합이 다른 집합은 존재하지 않는다.

5. 2023학년도 숙명여대 수시 논술

※ 제시문을 읽고 다음 문제에 답하시오.

1-1. 양의 실수에서 정의된 함수 $f(x)$는 미분가능하고

$$f(x+1)=(x+1)f(x), \quad f(1)=1$$

을 만족시킨다. $f'(4)-9f'(2)-6f'(1)$의 값을 구하시오.

1-2. 함수 $f(u)$는

$$f(u)=\int_0^1 x^u(1-x)^{10}dx, \quad u \ge 1$$

이다. $u \ge 2$일 때, $f(u)=g(u)f(u-1)$인 $g(u)$를 구하고 $f(u+1)=\frac{1}{12}f(u-1)$인 u의 값을 구하시오.

2-1. $f(x)=3x^2$에 대하여 점 $\mathrm{P}_1(1,\ 3)$, $d=\frac{1}{5}$일 때, 수열 $\{x_n\}$을 귀납적으로 정의하시오.

2-2. $f(x)=3(x^2-x)$에 대하여 점 $\mathrm{P}_1(1,\ 0)$일 때, 수열 $\{x_n\}$이 수렴하도록 하는 d의 값의 범위를 구하시오.

※ 제시문을 읽고 다음 문제에 답하시오.

3－1. 제시문 <라>의 원에 내접하는 n각형의 넓이는 $\frac{1}{2}\sum_{i=1}^{n}\sin(2\theta_i)$임을 보이고 그 넓이의 최댓값을 구하시오.

3－2. 다음 <보기>와 수열의 극한을 이용하여 반지름의 길이가 1인 원의 넓이는 π임을 보이시오.

< 보기 >
원의 넓이는 그 원에 외접하는 n각형의 넓이보다 작고 내접하는 n각형의 넓이보다 크다.

1－1

함수의 곱의 미분법에 의해 다음의 관계가 성립한다.

$$f'(x+1)=f(x)+(x+1)f'(x) \Rightarrow f'(x+1)-(x+1)f'(x)=f(x) \cdots\cdots ①$$

정의된 함수의 관계를 이용하면

$f(1)=1$, $f(2)=2f(1)=2!$, $f(3)=3f(2)=3!$, $\cdots$**이고**

$f'(4)-9f'(2)-6f'(1)$**에 식 ①의 관계를 적용하면**

$$\begin{aligned} f'(4)-9f'(2)-6f'(1) &= f'(4)-4f'(3)+4(f'(3)-3f'(2))+3(f'(2)-2f'(1)) \\ &= f(3)+4f(2)+3f(1)=3!+4\times 2!+3\times 1=17 \end{aligned}$$

이다.

1－2

부분적분에 의해

$$\begin{aligned} f(u) &= \int_0^1 x^u(1-x)^{10}dx = -x^u\frac{1}{11}(1-x)^{11}\Big|_{x=0}^{1} + \frac{u}{11}\int_0^1 x^{u-1}(1-x)^{11}dx \\ &= \frac{u}{11}\int_0^1 x^{u-1}(1-x)^{11}dx \end{aligned}$$

이 식이 $f(u)$**또는** $f(u-1)$**의 꼴이 되기 위해서는** $(1-x)$**의 지수가** 10**이 되어야 하므로**

$$\begin{aligned} f(u) &= \frac{u}{11}\int_0^1 x^{u-1}(1-x)^{11}dx = \frac{u}{11}\int_0^1 x^{u-1}(1-x)(1-x)^{10}dx \\ &= \frac{u}{11}\int_0^1 (x^{u-1}-x^u)(1-x)^{10}dx = \frac{u}{11}\left(\int_0^1 x^{u-1}(1-x)^{10}dx - \int_0^1 x^u(1-x)^{10}dx\right) \\ &= \frac{u}{11}f(u-1) - \frac{u}{11}f(u) \end{aligned}$$

위 관계식을 정리하면 $f(u)=\frac{u}{u+11}f(u-1)$**이므로** $g(u)=\frac{u}{u+11}$**이다.**

이 관계식을 이용하면 $f(u+1)=\frac{(u+1)}{u+12}f(u)=\frac{(u+1)u}{(u+12)(u+11)}f(u-1)$**이므로,**

$\frac{u(u+1)}{(u+11)(u+12)}=\frac{1}{12}$**을 만족시키는** u**를 찾는다.**

$12u^2+12u=u^2+21u+132 \Rightarrow 11u^2-11u-132=0 \Rightarrow u^2-u-12=(u-4)(u+3)=0 u \geq 2$
이므로 $u=4$**이다.**

2-1

점 $P_n(x_n,\ y_n)$**과** $Q_n(x_{n+1},\ y_n+d)$**을 지나는 직선은 점** P_n**에서의 접선과 수직이므로 기울기가** $-\dfrac{1}{f'(x_n)}$**이다. 따라서** $\dfrac{(y_n+d)-y_n}{x_{n+1}-x_n}=\dfrac{d}{x_{n+1}-x_n}=-\dfrac{1}{f'(x_n)}$**이다.**

그러므로 $x_{n+1}=x_n-f'(x_n)d$**이다.** $f'(x)=6x$**이므로 수열** $\{x_n\}$**은 귀납적으로 정의된 수열** $x_1=1,\quad x_{n+1}=x_n-6x_n\times\dfrac{1}{5}=\left(-\dfrac{1}{5}\right)x_n$**임을 알 수 있다.**

2-2

$f'(x)=3(2x-1)$**이므로 수열** $\{x_n\}$**은 귀납적으로 정의된 수열**

$$x_1=1$$

$$x_{n+1}=x_n-3(2x_n-1)d=(1-6d)x_n+3d \quad \cdots\cdots \quad ①$$

이다.

수열 $\{x_n\}$**이 수렴하는 경우** $\lim_{n\to\infty}x_n=\alpha$**라 하면** $\lim_{n\to\infty}x_{n+1}=\alpha$**이므로 식 ①에서**

$$\alpha=(1-6d)\alpha+3d \quad \cdots\cdots \quad ②$$

이다.

식 ①에서 식 ②를 빼면 $x_{n+1}-\alpha=(1-6d)(x_n-\alpha)$**이고,**

따라서 수열 $\{x_n-\alpha\}$**는 공비가** $(1-6d)$**인 등비수열이다.**

이 수열이 수렴하기 위해서는 $-1<1-6d\leq 1$**이어야 하고** $0\leq d<\dfrac{1}{3}$**이다.**

그런데 d**는 양수이므로** $0<d<\dfrac{1}{3}$**이다.**

3-1

삼각형 $OA_i\ A_{i+1}$**의 넓이는** $\dfrac{1}{2}xh$**이고** $x=2\cos\theta_i,\ h=\sin\theta_i$**이므로**

$$\frac{1}{2}xh=\frac{1}{2}2\sin\theta_i\cos\theta_i=\frac{1}{2}\sin(2\theta_i)$$

($\sin(\alpha+\beta)=\sin\alpha\cos\beta+\cos\alpha\sin\beta$이므로$2\sin\theta_i\cos\theta_i=\sin(\theta_i+\theta_i)=\sin(2\theta_i)$이다.)

따라서 원에 내접하는 n**각형의 넓이는** $\dfrac{1}{2}\sum_{i=1}^{n}\sin(2\theta_i)$**이다.**

(별해. $\theta_i=\angle OA_i\ A_{i+1}$**이므로** $\angle A_iOA_{i+1}=\pi-2\theta_i$**이다. 따라서 삼각형** $OA_i\ A_{i+1}$**의 넓**

이는 $\frac{1}{2}\sin(\pi-2\theta_i)=\frac{1}{2}\sin(2\theta_i)$이고 n각형의 넓이는 $\frac{1}{2}\sum_{i=1}^{n}\sin(2\theta_i)$이다.)

한편 $f(x)=\sin x$라 하면 $f''(x)=-\sin x$이므로 구간 $(0,\ \pi)$에서 $f''(x)<0$이다.
따라서 구간 $(0,\ \pi)$에서 함수 $f(x)=\sin x$의 그래프는 위로 볼록이고

제시문 <마>에 의해 부등식 $\frac{1}{n}\sum_{i=1}^{n}\sin(2\theta_i)\le \sin\left(\frac{1}{n}\sum_{i=1}^{n}2\theta_i\right)$이 성립한다.

즉, $\frac{1}{2}\sum_{i=1}^{n}\sin(2\theta_i)=\frac{n}{2}\left(\frac{1}{n}\sum_{i=1}^{n}\sin(2\theta_i)\right)\le\frac{n}{2}\sin\left(\frac{1}{n}\sum_{i=1}^{n}2\theta_i\right)$

여기서 $\sum_{i=1}^{n}2\theta_i$는 n각형의 내각의 합이므로

$\sum_{i=1}^{n}2\theta_i=(n-2)\pi$이고, 등호는 $\theta_1=\theta_2=\cdots=\theta_n$일 때 성립하므로

$$\frac{1}{2}\sum_{i=1}^{n}\sin(2\theta_i)\le\frac{n}{2}\sin\frac{(n-2)\pi}{n}=\frac{n}{2}\sin\left(\pi-\frac{2\pi}{n}\right)=\frac{n}{2}\sin\left(\frac{2\pi}{n}\right)$$

즉, 원에 내접하는 n각형의 넓이가 최대인 경우는 정 n각형이고 그 넓이는 $\frac{n}{2}\sin\frac{2\pi}{n}$이다.

3-2

문제 3-1에서 원에 내접하는 정 n각형의 넓이는

$$\frac{n}{2}\sin\frac{2\pi}{n}\ \cdots\cdots\ ①$$

이다.

원에 외접하는 정 n각형의 넓이를 구하자. 원 O에 외접하는 정 n각형의 꼭짓점을 각각 $B_1,\ B_2,\ \cdots,\ B_n$이라 하면 $\angle B_iOB_{i+1}=\frac{2\pi}{n}$이다. 따라서 $\overline{B_i B_{i+1}}=2\tan\frac{2\pi}{2n}$이고 원의 중심 O에서 현 $B_i B_{i+1}$에 내린 수선의 길이는 반지름의 길이와 같으므로 삼각형 B_iOB_{i+1}의 넓이 S_i는 $S_i=\tan\frac{\pi}{n}$이다.

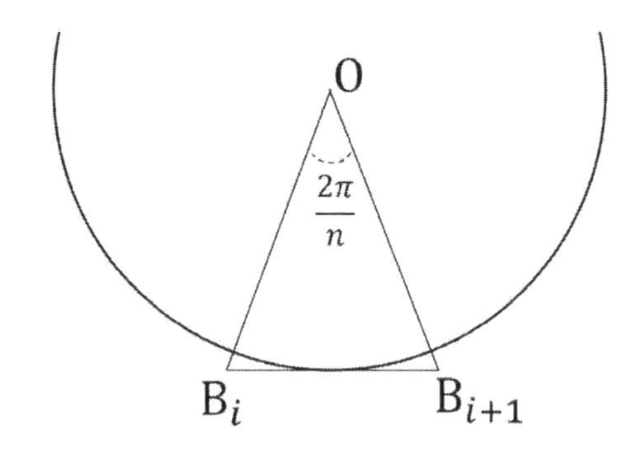

(별해. $\angle OB_i B_{i+1} = \frac{\pi}{2} - \frac{\pi}{n}$**이므로 삼각형** B_iOB_{i+1}**의 넓이는** $\cot\left(\frac{\pi}{2} - \frac{\pi}{n}\right) = \tan\frac{\pi}{n}$**이다.)**

따라서 원에 외접하는 정 n**각형의 넓이는**

$$n\tan\frac{\pi}{n} \cdots\cdots ②$$

이다.

①, ②에서 원의 넓이를 A**라 하면** $\frac{n}{2}\sin\frac{2\pi}{n} < A < n\tan\frac{\pi}{n}$ **위 식에** $n\to\infty$**인 극한을 구하면**

$$\lim_{n\to\infty}\frac{n}{2}\sin\frac{2\pi}{n} = \lim_{n\to\infty}\frac{n}{2}\frac{2\pi}{n}\frac{\sin\left(\frac{2\pi}{n}\right)}{\frac{2\pi}{n}} = \pi\lim_{n\to\infty}\frac{\sin\left(\frac{2\pi}{n}\right)}{\frac{2\pi}{n}} = \pi$$

$$\lim_{n\to\infty}n\tan\frac{\pi}{n} = \lim_{n\to\infty}n\frac{\sin\frac{\pi}{n}}{\cos\frac{\pi}{n}} = \lim_{n\to\infty}n\sin\frac{\pi}{n}\lim_{n\to\infty}\sec\frac{\pi}{n}$$

이다.

여기서 $\lim_{n\to\infty}n\sin\frac{\pi}{n} = \lim_{n\to\infty}n\frac{\pi}{n}\frac{\sin\frac{\pi}{n}}{\frac{\pi}{n}} = \pi$, $\lim_{n\to\infty}\sec\frac{\pi}{n} = 1$**이므로** $\lim_{n\to\infty}n\tan\frac{\pi}{n} = \pi$**이다.**

따라서 $\lim_{n\to\infty}\frac{n}{2}\sin\frac{2\pi}{n} = \pi \le A \le \pi = \lim_{n\to\infty}n\tan\frac{\pi}{n}$ **이므로** $A = \pi$

즉, 반지름의 길이가 1인 원의 넓이는 π**이다.**

6. 2023학년도 숙명여대 모의 논술

※ 제시문 〈가〉를 읽고 다음 문제에 답하시오.

1－1.급수의 합 표현을 이용하여 정적분 $\int_0^1 x^3 dx$의 값을 구하시오.

1－2.아래 식을 급수의 합 표현으로 바꾸고, 정적분과 급수의 합 사이의 관계를 이용하여 그 값을 구하시오.

$$\lim_{N\to\infty}\left\{\ln\left(\frac{2^N+1}{2^N}\right)^{\frac{1}{2^N}} + \ln\left(\frac{2^N+2}{2^N}\right)^{\frac{1}{2^N}} + \cdots + \ln\left(\frac{2^N+2^N}{2^N}\right)^{\frac{1}{2^N}}\right\}$$

2－1. 제시문 〈나〉에서 식 ①로부터 식 ②를 유도하는 과정을 서술하시오.

2－2. 제시문 〈나〉-〈라〉를 이용하여 둘레의 길이가 일정한 삼각형 중에서 넓이가 최대인 삼각형은 어떤 삼각형인지를, 구하는 과정과 함께 설명하시오.

3－1. n이 홀수이면 1, 짝수이면 －1이 되는 등비수열 $\{a_n\}$을 구하고 이를 이용하여 n이 홀수이면 0, 짝수이면 1이 되는 수열 $\{b_n\}$을 구하시오.

3－2. 제시문 〈바〉의 f_n을 이용하여, 짝수번 던졌을 때 처음으로 엎어진 윷이 나올 확률이 $\frac{1}{2}$보다 작음을 보이시오.

1-1

$f(x)=x^3$**이라 하면 함수** $f(x)$**는 닫힌구간** $[0,1]$**에서 연속이다.**

이때 $a=0$, $b=1$**이므로**

$$\Delta x=\frac{b-a}{n}=\frac{1}{n},\quad x_k=a+k\Delta x=\frac{k}{n},$$

$$f(x_k)=x_k^3=\left(\frac{k}{n}\right)^3$$

이므로 정적분과 급수의 합 사이의 관계에 의하여

$$\begin{aligned}\int_0^1 x^3dx&=\lim_{n\to\infty}\sum_{k=1}^{n}f(x_k)\Delta x\\&=\lim_{n\to\infty}\sum_{k=1}^{n}f\left(\frac{k}{n}\right)\times\frac{1}{n}\\&=\lim_{n\to\infty}\sum_{k=1}^{n}\left(\frac{k^3}{n^3}\times\frac{1}{n}\right)\\&=\lim_{n\to\infty}\frac{1}{n^4}\sum_{k=1}^{n}k^3\\&=\lim_{n\to\infty}\frac{1}{n^4}\times\left\{\frac{n(n+1)}{2}\right\}^2\\&=\lim_{n\to\infty}\frac{1}{n^4}\times\frac{n^2(n+1)^2}{4}=\frac{1}{4}\end{aligned}$$

이다.

1-2

주어진 식을 급수의 합 표현으로 바꾸면

$$\lim_{N\to\infty}\left\{\ln\left(\frac{2^N+1}{2^N}\right)^{\frac{1}{2^N}}+\ln\left(\frac{2^N+2}{2^N}\right)^{\frac{1}{2^N}}+\cdots+\ln\left(\frac{2^N+2^N}{2^N}\right)^{\frac{1}{2^N}}\right\}$$

$$=\lim_{N\to\infty}\sum_{k=1}^{2^N}\ln\left(\frac{2^N+k}{2^N}\right)^{\frac{1}{2^N}}$$

$$=\lim_{N\to\infty}\sum_{k=1}^{2^N}\frac{1}{2^N}\ln\left(\frac{2^N+k}{2^N}\right)$$

$$=\lim_{N\to\infty}\sum_{k=1}^{2^N}\frac{1}{2^N}\ln\left(1+\frac{k}{2^N}\right)$$

이다. 이때 $f(x)=\ln(x)$, $a=1$, $b=2$, $n=2^N$으로 놓으면

$$\Delta x=\frac{b-a}{n}=\frac{1}{2^N},\ x_k=a+k\Delta x=\frac{k}{2^N},$$

이다. 따라서 정적분과 급수의 합 사이의 관계에 의하여

$$\begin{aligned}\lim_{n\to\infty}\sum_{k=1}^{2^N}\frac{1}{2^N}\ln\left(1+\frac{k}{2^N}\right)&=\lim_{n\to\infty}\sum_{k=1}^{n}f(x_k)\Delta x\\&=\int_0^1 f(x)dx\\&=\int_0^1\ln(1+x)dx=\int_1^2(\ln x)dx\\&=[x\ln x-x]_1^2=2\ln2-2+1=2\ln2-1\end{aligned}$$

이다.

2-1

삼각형 ABC의 넓이를 A라 하면 $A=\frac{1}{2}ab\sin C$이다.

$\sin^2\theta+\cos^2\theta=1$이므로 $\sin C=\sqrt{1-\cos^2 C}$이고

제 2 코사인법칙 $c^2=a^2+b^2-2ab\cos C$에서

$\cos C=\frac{a^2+b^2-c^2}{2ab}$이므로 $\sin C=\sqrt{1-\left(\frac{a^2+b^2-c^2}{2ab}\right)^2}$

$$\begin{aligned}A&=\frac{1}{2}ab\sin C\\&=\frac{1}{2}ab\sqrt{1-\cos^2 C}\\&=\frac{1}{2}ab\sqrt{1-\left(\frac{a^2+b^2-c^2}{2ab}\right)^2}\\&=\frac{1}{2}ab\sqrt{1-\left(\frac{a^2+b^2-c^2}{4a^2b^2}\right)^2}\\&=\frac{1}{4}\sqrt{(2ab)^2-(a^2+b^2-c^2)^2}\\&=\frac{1}{4}\sqrt{(2ab+a^2+b^2-c^2)(2ab-a^2-b^2+c^2)}\\&=\frac{1}{4}\sqrt{\{(a+b)^2-c^2)\}\{c^2-(a-b)^2\}}\\&=\frac{1}{4}\sqrt{(a+b+c)(a+b-c)(c+a-b)(c-a+b)}\end{aligned}$$

여기서 $s=\frac{a+b+c}{2}$라두면

$$=\sqrt{\frac{1}{16}(a+b+c)(a+b+c-2c)(a+b+c-2b)(a+b+c-2a)}$$
$$=\sqrt{s(s-a)(s-b)(s-c)}$$

혹은

$$A=\frac{1}{2}ab\sin C$$
$$=\frac{1}{2}ab\sqrt{1-\cos^2 C}$$
$$=\frac{1}{2}ab\sqrt{1-\left(\frac{a^2+b^2-c^2}{2ab}\right)^2}$$
$$=\frac{1}{2}ab\sqrt{1-\left(\frac{a^2+b^2-c^2}{4a^2b^2}\right)^2}$$
$$=\frac{1}{4}\sqrt{(2ab)^2-(a^2+b^2-c^2)^2}$$
$$=\frac{1}{4}\sqrt{(2ab+a^2+b^2-c^2)(2ab-a^2-b^2+c^2)}$$
$$=\frac{1}{4}\sqrt{\{(a+b)^2-c^2)\}\{c^2-(a-b)^2\}}$$
$$=\frac{1}{4}\sqrt{(a+b+c)(a+b-c)(c+a-b)(c-a+b)}$$
$$=\sqrt{\left(\frac{a+b+c}{2}\right)\left(\frac{a+b-c}{2}\right)\left(\frac{c+a-b}{2}\right)\left(\frac{c-a+b}{2}\right)}$$
$$=\sqrt{\left(\frac{a+b+c}{2}\right)\left(\frac{a+b+c-2c}{2}\right)\left(\frac{c+a+b-2b}{2}\right)\left(\frac{c+a+b-2a}{2}\right)}$$
$$=\sqrt{\left(\frac{a+b+c}{2}\right)\left(\frac{a+b+c}{2}-c\right)\left(\frac{c+a+b}{2}-b\right)\left(\frac{c+a+b}{2}-a\right)}$$
$$=\sqrt{s(s-a)(s-b)(s-c)}$$
$$\therefore\ \sqrt{s(s-a)(s-b)(s-c)}$$

2−2.

풀이 1)

삼각형 ABC**의 세 변의 길이를 각각** a,b,c**라 하고** $s=\frac{a+b+c}{2}$**라 하자.**

삼각형의 넓이를 A**라 하면 헤론의 공식에 의해**

$$A=\sqrt{s(s-a)(s-b)(s-c)}$$

이다.

따라서 삼각형의 넓이가 최대인 경우는 $(s-a)(s-b)(s-c)$**가 최대인 경우이다.**

제시문 (나)에서 $n=3$**인 경우를 생각하면** $A=\sqrt{s(s-a)(s-b)(s-c)}$**가 모두 양수일 때 부등식 ②가 성립한다.**

$$s-a=\frac{a+b+c}{2}-a=\frac{-a+b+c}{2}$$

$$s-b=\frac{a+b+c}{2}-b=\frac{a-b+c}{2}$$

$$s-c=\frac{a+b+c}{2}-c=\frac{a+b-c}{2}$$

a,b,c는 삼각형의 세 변의 길이이므로 두 변의 길이의 합은 나머지 한 변의 길이보다 크다.

따라서 $(s-a)(s-b)(s-c)$**는 모두 양수이고**

$$\frac{(s-a)(s-b)(s-c)}{3}=\frac{3s-(a+b+c)}{3}=\frac{s}{3}\geq\{(s-a)(s-b)(s-c)\}^{1/3}$$

이 성립한다.

즉 $(s-a)(s-b)(s-c)$**의 값은** $\frac{s}{3}$**보다 클 수 없고** $(s-a)(s-b)(s-c)$**가 최댓값을 갖는 것은**

$(s-a)=(s-b)=(s-c)$**일 때이다.**

즉 삼각형의 넓이가 최대인 경우는 삼각형 ABC**가** $a=b=c$**인 정삼각형일 때이다.**

풀이 2)

둘레의 길이가 일정한 삼각형 중에서 넓이가 최대인 삼각형을 구하기 위해 삼각형의 세 변을 a+b, b+c, c+a**로 둔다.** (a> 0, b> 0, c> 0)

삼각형 면적을 A**라 하면 삼각형의 넓이는 헤론 공식에 의해**

$$A=\sqrt{(a+b+c)abc}$$

산술 기하 평균 $a+b+c\geq 3\sqrt{abc}$ **(등호는** a= b= c**일 때)**

따라서 정삼각형일 경우 면적이 가장 넓다.

3-1.

홀수이면 1, 짝수이면 -1이 되기 위해서는 공비가 -1**이 되어야 하며 첫째항은 1이어야 하기 때문에**

$$a_n=ar^{n-1}=1(-1)^{n-1}$$

가 된다.

홀수이면 0, 짝수이면 1이 되는 수열의 경우 앞의 a_n**을 이용하여 다음과 같이 유도할 수 있다.**

$$b_n=\frac{1-a_n}{2}=\frac{1-(-1)^{n-1}}{2}$$

3-2.

n**이 짝수인 수열의 합은** $f_2+f_4+f_6+\cdots=\sum_{n=1}^{\infty}f_{2n}$**이다.**

풀이 1)

b_n을 이용하는 경우 : 2-1의 b_n을 이용하여 다음과 같이 표시할 수 있다.

$$\sum_{n=1}^{\infty} f_{2n} = \sum_{n=1}^{\infty} b_n f_n = \sum_{n=1}^{\infty} \frac{1-(-1)^{n-1}}{2} pq^{n-1} = \frac{p}{2}\left(\sum_{x=1}^{\infty} q^{x-1} - \sum_{x=1}^{\infty} (-q)^{x-1}\right)$$

여기서 괄호 안에 있는 두 합은 각각 첫째항이 1이고 공비가 q와 $-q$인 등비급수이고 $|q| = |1-p| < 1$이므로 제시문 <가>의 공식에 의해 다음과 같이 정리할 수 있다.

$$= \frac{p}{2}\left(\frac{1}{1-q} - \frac{1}{1+q}\right) = \frac{p}{2}\left(\frac{1}{p} - \frac{1}{2-p}\right) = \frac{1}{2} - \frac{p}{2(2-p)}$$

$0 < p < 1$**이므로 위의 식에서** $\frac{p}{2(2-p)} > 0$**이므로** $\sum_{n=1}^{\infty} f_{2n} < \frac{1}{2}$

풀이 2)

b_n을 이용하는 경우 : $f_{2n} = pq^{2n-1}$**을** $\sum_{n=1}^{\infty} f_{2n}$**에 대입하면 다음과 같다.**

$$\sum_{n=1}^{\infty} f_{2n} = pq + pq^3 + pq^5 + \cdots$$

가 되는데 이는 첫째항이 pq이고 공비가 q^2인 등비급수이고 $|q^2 < 1|$이므로 다음과 같은 결과를 유도할 수 있다.

$$\sum_{n=1}^{\infty} f_{2n} = \frac{pq}{1-q^2} = \frac{q}{1+q}$$

여기서 $f(q) = \frac{q}{1+q}$**가** $\frac{1}{2}$**보다 작다는 것을 보이기 위해서느 다음과 같은 두가지 방법을 적용할 수 있다.**

방법 1)

$\frac{df(q)}{dq} = \frac{1}{(1+q)^2} > 0$**이므로** $f(q) = \frac{q}{1+q}$**는 q에 단조증가함수라는 것을 의미하며**

$q = 1-p$**는** $0 -< q < 1$**이므로** $f(q) < f(1) = \frac{1}{2}$**가 된다.**

방법 2)

$q < 1$**로부터** $1+q > 2q$**이고,** $q > 0$**이므로** $\frac{1}{1+q} < \frac{1}{2q}$**이다. 양변에 q를 곱하면**

$\frac{q}{1+q} < \frac{q}{2q} = \frac{1}{2}$**이다.**

7. 2022학년도 숙명여대 수시 논술

1-1. 명제 ①이 참임을 증명하시오.

1-2. $n \geq 4$일 때 $5 \cdot \alpha(n,\ n-2)$와 $\alpha(100,\ 67)$이 자연수인지 아닌지를 각각 판별하고, 그 이유를 설명하시오. (단, 67은 소수이다.)

2-1. <그림 2>에서 $\theta = \frac{\pi}{4}$일 때, 원점 O에서 찬 공의 속력이 최소일 때의 점 P의 y좌표를 구하시오.

2-2. <그림 2>에서 점 B의 x좌표가 최대가 되도록 하는 각 θ에 대하여 $\tan\theta$를 구하시오.

3-1. 정적분 $\int_0^1 e^{x^2} dx$의 값을 A라 할 때, 다음 정적분을 구하시오.

$$\int_0^1 (x^2+1)e^{x^2} dx$$

3-2. $x > 0$에서 정의된 미분가능한 함수 $f(x)$가 다음 두 조건을 만족시킨다.

$x > 0$인 모든 실수 x에 대하여 ㉠ $f(x) > 0$ ㉡ $5\int_1^x f(t)dt - \int_{2-x}^1 \frac{x+t-2}{3-t} f(2-t)dt = 5(x-1)$

이때 $f(63)$을 구하시오.

1-1

$n \geq 4$일 때

$$\begin{aligned}\alpha(n,\ 4) &= \frac{1}{4}\,{}_{2n-4}C_3 = \frac{(2n-4)(2n-5)(2n-6)}{4 \cdot 3 \cdot 2 \cdot 1} \\ &= \frac{(n-2)(2n-5)(n-3)}{3 \cdot 2} \\ &= \frac{1}{6}(n-3)(n-2)(2n-5) \\ &= \frac{1}{6}(n-3)\{(n-3)+1\}\{2(n-3)+1\} \\ &= 1^2+2^2+3^2+\cdots+(n-3)^2\end{aligned}$$

이므로 $\alpha(n,\ 4)$는 자연수이다.

1-2

$n \geq 4$일 때

$$5\cdot\alpha(n,\ n-2)=\frac{5}{n-2}\,{}_{n+2}C_{n-3}=\frac{5}{n-2}\,{}_{n+2}C_5$$
$$=\frac{5}{n-2}\frac{(n+2)(n+1)n(n-1)(n-2)}{5!}$$
$$=\frac{(n+2)(n+1)n(n-1)}{4!}$$
$$={}_{n+2}C_4$$

이다. ${}_{n+2}C_4$**는 자연수이므로** $5\cdot\alpha(n,\ n-2)$**는 자연수이다. 또한**

$$\alpha(100,\ 67)=\frac{1}{67}\,{}_{133}C_{66}$$
$$=\frac{133\cdot132\cdot\cdots\cdot68}{67!}\quad\cdots\cdots\quad(1)$$

이다.

유리수 $\alpha(100,\ 67)$**이 자연수라고 가정하면, (1)의 우변의 분모인** $67!$**이 소수** 67**의 배수이므로, 분자**

$$133\cdot132\cdot\cdots\cdot68\quad\cdots\cdots\ (2)$$

은 소수 67**의 배수이다. 그런데 (2)는 소수** 67**의 배수인** 134**보다** 1**씩 작은 연속된** 66**개의 자연수** $133,\ 132,\ \cdots,\ 68$**의 곱이므로 소수** 67**의 배수가 아니다. 따라서 모순이다. 그러므로** $\alpha(100,\ 67)$**은 자연수가 아니다.**

2-1

점 P의 시각 t**에서의 위치는** $x=f(t)=10t\cos\theta,\ y=g(t)=10t\sin\theta-5t^2$ **이다.**

$\theta=\dfrac{\pi}{4}$ **일 때**

$f(t)=5\sqrt{2}t,\ g(t)=5\sqrt{2}t-5t^2$ **이므로** $f'(t)=5\sqrt{2},\ g'(t)=5\sqrt{2}-10t$**이다.**

그러면 점 P의 속력은 $\sqrt{\{f'(t)\}^2+\{g'(t)\}^2}=\sqrt{50+25(\sqrt{2}-2t)^2}$ **이고,**

$t=\dfrac{1}{\sqrt{2}}$ **일 때 최솟값을 갖는다.**

따라서 점 P의 y**좌표는** $g\left(\dfrac{1}{\sqrt{2}}\right)=5\sqrt{2}\cdot\dfrac{1}{\sqrt{2}}-5\cdot\left(\dfrac{1}{\sqrt{2}}\right)^2=\dfrac{5}{2}$ **이다.**

2-2

점 B는 점 P가 나타내는 곡선과 곡선 $y=-\dfrac{1}{40}x^2$**의 원점이 아닌 교점이다. 그러면**

$$10t\sin\theta-5t^2=-\frac{1}{40}(10t\cos\theta)^2$$

이고,

$$t\{(2-\cos^2\theta)t-4\sin\theta\}=0 \Rightarrow t=0 \text{ 또는 } t=\frac{4\sin\theta}{2-\cos^2\theta}$$

이다. 따라서 공이 점 B에 닿은 시각은 $t=\dfrac{4\sin\theta}{2-\cos^2\theta}$이고,

이때 점 B의 x좌표는 $p(\theta)=10\left(\dfrac{4\sin\theta}{2-\cos^2\theta}\right)\cos\theta=\dfrac{40\sin\theta\cos\theta}{2-\cos^2\theta}$이다.

위 식의 분모와 분자를 $\cos^2\theta$로 나누면 $1+\tan^2\theta=\sec^2\theta$로부터

$$p(\theta)=\frac{40\tan\theta}{2\sec^2\theta-1}=\frac{40\tan\theta}{2\tan^2\theta+1}$$

이다. 이제 $u=\tan\theta$로 놓으면

$$\frac{40\tan\theta}{2\tan^2\theta+1}=\frac{40u}{2u^2+1}\left(0<\theta<\frac{\pi}{2},\ u>0\right)$$

이다.

$p(\theta)$가 최대가 되게 하는 u의 값을 구하기 위해 $h(u)=\dfrac{40u}{2u^2+1}$로 놓자.

$h'(u)=\dfrac{40(-2u^2+1)}{(2u^2+1)^2}$이므로, 구간 $(0,\ \infty)$에서

$0<u<\dfrac{1}{\sqrt{2}}$일 때 $h'(u)>0$이므로 $h(u)$는 증가,

$u=\dfrac{1}{\sqrt{2}}$일 때 $h'(u)=0$,

$u>\dfrac{1}{\sqrt{2}}$일 때 $h'(u)<0$이므로 $h(u)$는 감소한다.

따라서 $\tan\theta=u=\dfrac{1}{\sqrt{2}}$일 때 $p(\theta)$는 최댓값을 갖는다.

〈다른 풀이〉

점 B는 점 P가 나타내는 곡선과 곡선 $y=-\dfrac{1}{40}x^2$의 원점이 아닌 교점이다.

그러면

$$10t\sin\theta-5t^2=-\frac{1}{40}(10t\cos\theta)^2$$

이고,

$$t\{(2-\cos^2\theta)t-4\sin\theta\}=0 \Rightarrow t=0 \text{ 또는 } t=\frac{4\sin\theta}{2-\cos^2\theta}$$

이다.

따라서 공이 점 B에 닿은 시각은 $t=\dfrac{4\sin\theta}{2-\cos^2\theta}$이고,

이때 점 B의 x좌표는 $p(\theta)=10\left(\dfrac{4\sin\theta}{2-\cos^2\theta}\right)\cos\theta=\dfrac{40\sin\theta\cos\theta}{2-\cos^2\theta}$이다.

몫의 미분법,

$(\sin\theta\cos\theta)'=\cos^2\theta-\sin^2\theta$, $(2-\cos^2\theta)'=2\cos\theta\sin\theta$, $\cos^2\theta=1-\sin^2\theta$를 이용하면

$$\begin{aligned}p'(\theta)&=40\frac{(\cos^2\theta-\sin^2\theta)(2-\cos^2\theta)-\cos\theta\sin\theta\cdot(2\cos\theta\sin\theta)}{(2-\cos^2\theta)^2}\\&=40\frac{(\cos^2\theta-\sin^2\theta)(2-\cos^2\theta)-2\sin^2\theta\cos^2\theta}{(2-\cos^2\theta)^2}\\&=40\frac{(1-2\sin^2\theta)(1+\sin^2\theta)-2\sin^2\theta(1-\sin^2\theta)}{(1+\sin^2\theta)^2}\\&=40\frac{1-3\sin^2\theta}{(1+\sin^2\theta)^2}\\&=40\frac{(1-\sqrt{3}\sin\theta)(1+\sqrt{3}\sin\theta)}{(1+\sin^2\theta)^2}\end{aligned}$$

이다.

$0<\theta<\dfrac{\pi}{2}$인 θ에 대하여 $0<\sin\theta<1$, $(1+\sin^2\theta)^2>0$, $1+\sqrt{3}\sin\theta>0$이므로,

$0<\sin\theta<\dfrac{1}{\sqrt{3}}$을 만족하는 θ의 구간에서, $p'(\theta)>0$이므로 $p(\theta)$는 증가,

$\sin\theta=\dfrac{1}{\sqrt{3}}$을 만족하는 θ에 대하여 $p'(\theta)=0$,

$\dfrac{1}{\sqrt{3}}<\sin\theta<1$을 만족하는 θ의 구간에서, $p'(\theta)<0$이므로 $p(\theta)$는 감소한다.

따라서 $\sin\theta=\dfrac{1}{\sqrt{3}}$일 때 $p(\theta)$는 최댓값을 갖는다.

한편 $0<\theta<\dfrac{\pi}{2}$이므로, 삼각함수의 정의에 의하여 $\tan\theta=\dfrac{1}{\sqrt{2}}$이다.

3－1

$I=\displaystyle\int_0^1(x^2+1)e^{x^2}dx$로 놓으면 $I=\displaystyle\int_0^1 x^2e^{x^2}dx+\int_0^1 e^{x^2}dx$이다.

정적분 $\displaystyle\int_0^1 x^2e^{x^2}dx$에서 $f(x)=x$, $g'(x)=xe^{x^2}$으로 놓으면 $f'(x)=1$이고, 제시문의 예로

부터 $g(x)=\dfrac{1}{2}e^{x^2}$이다.

따라서 $\int_0^1 x^2 e^{x^2} dx = \left[\frac{1}{2}xe^{x^2}\right]_0^1 - \frac{1}{2}\int_0^1 e^{x^2} dx = \frac{e}{2} - \frac{A}{2}$이고

$$I = \int_0^1 x^2 e^{x^2} dx + \int_0^1 e^{x^2} dx = \frac{e}{2} - \frac{A}{2} + A = \frac{e}{2} + \frac{A}{2}$$

이다.

3-2

정적분 $\int_{2-x}^1 \frac{x+t-2}{3-t} f(2-t)dt$에서 $2-t=u$로 놓으면 $-\frac{dt}{du}=1$이고

$t=2-x$일 때 $u=x$, $t=1$일 때 $u=1$이므로

$$\int_{2-x}^1 \frac{x+t-2}{3-t} f(2-t)dt = -\int_x^1 \frac{x-u}{u+1} f(u)du$$
$$= x\int_1^x \frac{1}{u+1} f(u)du - \int_1^x \frac{u}{u+1} f(u)du$$

이다.

따라서 ㉡에서 주어진 등식은 다음과 같다.

$$5\int_1^x f(t)dt - x\int_1^x \frac{1}{u+1} f(u)du + \int_1^x \frac{u}{u+1} f(u)du = 5(x-1)$$

양변을 x에 대하여 미분하면

$$5f(x) - \int_1^x \frac{1}{u+1} f(u)du - \frac{x}{x+1} f(x) + \frac{x}{x+1} f(x) = 5$$
$$5f(x) - \int_1^x \frac{1}{u+1} f(u)du = 5$$

이다.

위 식에서 양변에 $x=1$을 대입하면 $f(1)=1$이다.

위 식의 양변을 x에 대하여 미분하면 $5f'(x) - \frac{1}{x+1} f(x) = 0$, $\frac{f'(x)}{f(x)} = \frac{1}{5(x+1)}$이고, 양변을 x에 대하여 적분하면, $x>0$인 모든 실수 x에 대하여 $f(x)>0$이고 $f(1)=1$이므로

$$\int_1^x \frac{f'(t)}{f(t)} dt = \int_1^x \frac{1}{5(t+1)} dt$$

$$\ln f(x) - \ln f(1) = \frac{1}{5}\ln(x+1) - \frac{1}{5}\ln 2 = \frac{1}{5}\ln\frac{x+1}{2}$$

이다. 따라서 $f(x) = e^{\frac{1}{5}\ln\frac{x+1}{2}} = \left(\frac{x+1}{2}\right)^{\frac{1}{5}}$이고 $f(63) = \left(\frac{63+1}{2}\right)^{\frac{1}{5}} = 32^{\frac{1}{5}} = 2$이다.

8. 2022학년도 숙명여대 모의 논술

1−1. 실수 전체에서 정의된 함수 $f(x)$의 역함수가 존재하고,

$$(f \circ f \circ f)(x) = (f \circ f)(x)$$

일 때, $f(5)$의 값을 구하시오.

1−2. 실수 전체에서 정의된 두 함수 $g(x)$, $h(x)$에 대하여 $F(x) = g(x) + h(x)$라 하자. 함수 F의 역함수가 존재하고,

$$(g \circ F)(x) = h(x), \quad (h \circ F)(x) = g(x)$$

일 때, $g(5)$의 값을 구하시오.

2−1. a_{n+1}을 a_n으로 나타내시오.

2−2. $1 \le a_n \le 3$일 때, $|a_{n+1} - 1| \le \frac{2}{3}|a_n - 1|$임을 보이시오.

3−1. $P(k)$가 참이면 $P(k+1)$도 참임을 다음 두 가지 경우로 나누어 보이시오.

① $x_1 = x_2 = \cdots = x_{k+1}$인 경우

② $x_1 = x_2 = \cdots = x_{k+1}$이 아닌 경우

3−2. $P(n)$이 참일 때, n개의 양수 t_1, t_2, $\cdots$, t_n에 대하여 부등식

$$\frac{t_1 + t_2 + \cdots + t_n}{n} \ge (t_1 t_2 \cdots t_n)^{1/n}$$

이 성립함을 보이시오.

1−1.

식 (1)에서 양변의 왼쪽에 f^{-1}를 합성해 주면, $f^{-1} \circ (f \circ f \circ f)(x) = f^{-1} \circ (f \circ f)(x)$ 이고, 정리하면,

$$(\text{좌변}) = f^{-1} \circ (f \circ f \circ f)(x) = (f^{-1} \circ f)((f \circ f)(x)) = (f \circ f)(x),$$

$$(\text{우변}) = f^{-1} \circ (f \circ f)(x) = (f^{-1} \circ f)(f(x)) = f(x)$$

을 얻어 다음과 같이 쓸 수 있다. $(f \circ f)(x) = f(x)$. 다시 한 번 양변의 왼쪽에 f^{-1}를 합성해 주면, $f^{-1} \circ (f \circ f)(x) = (f^{-1} \circ f)(x)$이고, 정리하면, $f(x) = x$를 얻게 된다. $f(x)$는 일차함수이고 역함수가 존재한다. 따라서, $f(5) = 5$임을 알 수 있다.

1−2.

주어진 두 식 ②의 합을 구하면

$$g(F(x)) + h(F(x)) = g(x) + h(x) \quad \cdots\cdots \quad \textbf{(3)}$$

을 얻고, 이를 다시 쓰면,

$$g(F(x)) + h(F(x)) = F(F(x)) = (F \circ F)(x) = F(x)$$

임을 알 수 있다. 또한 $F(x)$의 역함수가 존재하므로, 문제 1−1의 풀이와 마찬가지로 양변의 왼쪽에 F^{-1}를 합성해 주면,

$F^{-1}\circ(F\circ F)(x)=(F^{-1}\circ F)(x)$이고, 정리하면, $F(x)=x$를 얻게 된다. 이를 식 (2)에 대입하면, $g(x)=h(x)$임을 알 수 있다. $F(x)=g(x)+h(x)=x$이고, $g(x)=h(x)$이므로, $g(x)=h(x)=\frac{1}{2}x$임을 알 수 있다. 따라서 $g(5)=\frac{5}{2}$임을 알 수 있다.

2−1.

l_n은 곡선 $y=f(x)$의 $(a_n,\ f(a_n))$에서의 접선이므로, 접선의 방정식 공식에 의하여 l_n: $y-f(a_n)=f'(a_n)(x-a_n)$이고, a_{n+1}은 l_n의 x절편이므로, $(a_{n+1},\ 0)$은 l_n의 한 점이다. 따라서 $-f(a_n)=f'(a_n)(a_{n+1}-a_n)$ 및 $a_{n+1}=a_n-\dfrac{f(a_n)}{f'(a_n)}$이 성립한다.

도함수를 계산하면 $f'(x)=3x^2+1$이므로, 이를 위 식에 대입하여 정리하면

$a_{n+1}=a_n-\dfrac{f(a_n)}{f'(a_n)}=a_n-\dfrac{a_n^3+a_n-2}{3a_n^2+1}=\dfrac{2a_n^3+2}{3a_n^2+1}$이다.

2−2.

위의 식에서 양변에 1를 빼고 절댓값을 취한 뒤 인수분해하여 정리하면 다음과 같다.

$$\begin{aligned}|a_{n+1}-1| &= \left|\frac{2a_n^3+2}{3a_n^2+1}-1\right| = \left|\frac{2a_n^3-3a_n^2+1}{3a_n^2+1}\right| = \left|\frac{(a_n-1)(2a_n^2-a_n-1)}{3a_n^2+1}\right| \\ &= |a_n-1|\left|\frac{2a_n^2-a_n-1}{3a_n^2+1}\right|\end{aligned}$$

여기서, 모든 n에 대하여 $1\le a_n\le 3$이므로 $2a_n^2-a_n-1\ge 0$, $3a_n^2+1>0$ 및 $a_n+\frac{3}{5}>0$ 이므로,

$$\begin{aligned}\left|\frac{2a_n^2-a_n-1}{3a_n^2+1}\right| &= \frac{2a_n^2-a_n-1}{3a_n^2+1} = \frac{2\left(a_n^2+\frac{1}{3}\right)-a_n-\frac{5}{3}}{3\left(a_n^2+\frac{1}{3}\right)} \\ &= \frac{2\left(a_n^2+\frac{1}{3}\right)}{3\left(a_n^2+\frac{1}{3}\right)}-\frac{a_n+\frac{5}{3}}{3\left(a_n^2+\frac{1}{3}\right)} \le \frac{2\left(a_n^2+\frac{1}{3}\right)}{3\left(a_n^2+\frac{1}{3}\right)} = \frac{2}{3}\end{aligned}$$

이다. 따라서, $|a_{n+1}-1|\le\frac{2}{3}|a_n-1|$를 얻는다.

3−1.

명제 $P(k)$가 참이라 하자.

$x_1, x_2, \cdots, x_k, x_{k+1}$**이 양수이고** $x_1x_2\cdots x_{k+1}=1$**이라 할 때**

① $x_1=x_2=\cdots=x_{k+1}$**이면** $x_1=x_2=\cdots=x_{k+1}=1$**이고**

$x_1+x_2+\cdots+x_{k+1}=k+1$**이다. 따라서** $x_1+x_2+\cdots+x_{k+1}\ge k+1$**이 성립한다.**

② $x_1, x_2, \cdots, x_k, x_{k+1}$**이 모두 같지는 않다면 1보다 큰** x_i**와 1보다 작은** x_j**가 존재한다. 실수의 곱은 교환법칙이 성립하므로 1보다 큰** x_i**를** x_1**이라 하고 1보다 작은** x_j**를** x_2**라 하면** $1-x_1<0,\ 1-x_2>0$**이다.**

$(1-x_1)(1-x_2)=1-x_1-x_2+x_1x_2<0$**에서** $1+x_1x_2<x_1+x_2$**이 성립한다.**

이 식을 이용하면

$$x_1+x_2+\cdots+x_{k+1}>1+x_1x_2+x_3+\cdots+x_{k+1} \quad \cdots\cdots \quad (1)$$

이다.

한편 $P(k)$**가 참이고** $(x_1x_2)x_3\cdots x_{k+1}=1$**이므로**

$$x_1x_2+x_3+\cdots+x_{k+1}\ge k$$

이 성립한다.

따라서 부등식 (1)에서

$$x_1+x_2+\cdots+x_{k+1}>1+x_1x_2+x_3+\cdots+x_{k+1}\ge k+1$$

을 얻는다.

①, ②에서 $P(k)$**가 참이면** $P(k+1)$**도 참임을 알 수 있다.**

3−2.

n**개의 양수** $t_1, t_2, \cdots, t_n$**에 대하여**

$$x_1=\frac{t_1}{\sqrt[n]{t_1t_2\cdots t_n}},\quad x_2=\frac{t_2}{\sqrt[n]{t_1t_2\cdots t_n}},\quad \cdots,\quad x_n=\frac{t_n}{\sqrt[n]{t_1t_2\cdots t_n}}$$

이라 하면 $x_1, x_2, \cdots, x_n$**도 양수이고** $x_1x_2\cdots x_n=1$**이다.**

$P(n)$**이 참이므로** $x_1+x_2+\cdots+x_n\ge n$**이다.**

따라서 $x_i=\dfrac{t_i}{\sqrt[n]{t_1t_2\cdots t_n}}$ $(i=1, \cdots, n)$**를 위 식에 대입하면**

$$\frac{t_1}{\sqrt[n]{t_1t_2\cdots t_n}}+\frac{t_2}{\sqrt[n]{t_1t_2\cdots t_n}}+\cdots+\frac{t_n}{\sqrt[n]{t_1t_2\cdots t_n}}=\frac{t_1+\cdots+t_n}{\sqrt[n]{t_1t_2\cdots t_n}}\ge n$$

이고 $\sqrt[n]{t_1t_2\cdots t_n}>0$**이므로 양변에** $\sqrt[n]{t_1t_2\cdots t_n}$**를 곱하면 부등식**

$$\frac{t_1+t_2+\cdots+t_n}{n}\ge(t_1t_2\cdots t_n)^{1/n}$$

을 얻는다.

9. 2021학년도 숙명여대 수시 논술

1－1. **제시문 <가>를 읽고 다음 문제에 답하시오.**

1－1 **(a). 수학적 귀납법을 이용하여 등식 ①이 성립함을 보이시오. 또한 임의의 실수 x 에 대하여 $g(x)$는 양의 실수임을 보이시오.**

1－1 **(b). 실수 전체의 집합에서 정의된 함수 $p(x)$가 다음 두 조건을 만족시킨다.**

1) 어떤 실수 x에 대하여 $p(x) \neq -1$이다. 2) 임의의 두 실수 x, y에 대하여 $p(x+y)=p(x)+p(y)+p(x)p(y)$이다.

이때 $p(2021x)+1=\{p(x)+1\}^{2021}$임을 보이시오.

1－2.**제시문 <나>에서 ②를 만족시키는 함수 $f(x)$에 대하여 다음 문제에 답하시오.**

1－2 **(a). 임의의 두 실수 k, x에 대하여 $kf'(x)=f'(kx)$임을 보이시오.**

1－2 **(b). 문제 1－2 (a)를 이용하여 함수 $f(x)$가 $f(0)=0$과 $f'(2)=4$를 만족시킬 때, $f(x)$를 구하시오.**

1－3. **제시문 <다>에서 주어진 경기에 대하여 다음 문제에 답하시오.**

1－3 **(a). 삼차방정식 $x^3+ax^2+bx+c=0$에서 A가 먼저 a를 선택하여 6으로 바꾼 후, B가 b를 선택하여 9로 바꾸어 삼차방정식 $x^3+6x^2+9x+c=0$이 되었다. 이 삼차방정식에 대하여 다음 두 조건을 만족시키는 실수 c의 범위를 구하시오.**

1) 열린구간 $(-5,\ -3)$에서 적어도 하나의 실근을 갖는다. 2) A가 이 경기에서 이긴다.

1－3 **(b). 제시문 <다>에서 주어진 경기는 B의 선택에 상관없이 A가 이길 수 있음을 보이시오. (도움말: A는 첫 번째 순서에서 c를 선택한 후 1로 바꿀 수 있다. 사잇값의 정리와 그래프의 개형을 이용할 수 있다.)**

1－1(a)

(i) $n=1$일 때, (좌변) $=g(x)$, (우변) $=g(x)$이므로 성립한다.

(ii) $n=k$일 때, 등식 ①이 성립한다고 가정하면 $g(kx)=\{g(x)\}^k$이다. 이때

$$g((k+1)x)=g(kx+x)=g(kx)g(x)=\{g(x)\}^k g(x)=\{g(x)\}^{k+1}$$

이므로 $n=k+1$일 때도 등식

①은 성립한다.

(i), (ii)에 의하여 모든 자연수 n에 대하여 등식 ①은 성립한다.

조건 ㉢에 의하여 $g(x_0) \neq 0$**인 실수** x_0**이 존재한다. 이때 임의의 실수** x**에 대하여**

$$g(x_0) = g(x + (x_0 - x)) = g(x)g(x_0 - x)$$

이므로 $g(x) \neq 0$**이다. 임의의 실수** x**에 대하여**

$$g(x) = g\left(\frac{x}{2} + \frac{x}{2}\right) = \left\{g\left(\frac{x}{2}\right)\right\}^2 \geq 0$$

이다. 한편, $g(x) \neq 0$**이므로** $g(x) > 0$**이다.**

1-1(b)

$u(x) = p(x) + 1$**이라 하면**

$$u(x+y) = p(x+y) + 1 = p(x) + p(y) + p(x)p(y) + 1$$

$$= (p(x)+1)(p(y)+1) = u(x)u(y)$$

이다. 어떤 실수 x_0**에 대하여** $p(x_0) \neq -1$**이므로** $u(x_0) \neq 0$**이다. 따라서 등식 ①에 의하여**

$$u(2021x) = \{u(x)\}^{2021}$$

이다. 즉,

$$p(2021x) + 1 = \{p(x) + 1\}^{2021}$$

이다.

1-2(a)

(ⅰ) $x \neq 0$**이고** $k \neq 0$**인 경우,**

$$f'(kx) = f'\left(\frac{(k+1)x + (k-1)x}{2}\right)$$

$$= \frac{f((k+1)x) - f((k-1)x)}{(k+1)x - (k-1)x}$$

$$= \frac{f((k+1)x) - f((k-1)x)}{2x}$$

이고

$$f'(x) = f'\left(\frac{(k+1)x + (1-k)x}{2}\right)$$

$$= \frac{f((k+1)x) - f((1-k)x)}{(k+1)x - (1-k)x}$$

$$= \frac{f((k+1)x) - f(-(k-1)x)}{2kx}$$

$$= \frac{f((k+1)x) - f((k-1)x)}{2kx}$$

이다. 따라서 $kf'(x) = f'(kx)$**가 성립한다.**

(ii) $x=0$인 경우,

$$kf'(0)=f'(k\cdot 0)=f'(0)=0$$

이므로 $kf'(x)=f'(kx)$가 성립한다.

(iii) $k=0$인 경우, $0=f'(0)$이므로 $kf'(x)=f'(kx)$가 성립한다.

따라서 (i), (ii), (iii)에 의하여 임의의 두 실수 k, x에 대하여 $kf'(x)=f'(kx)$가 성립한다.

1-2(b)

$$f'(x)=f'\left(\frac{x}{2}\cdot 2\right)=\frac{x}{2}f'(2)=\frac{x}{2}\cdot 4=2x$$

이므로

$$f(x)=x^2+C \text{ (단, } C\text{는상수이다.)}$$

이다. 한편, $f(0)=0$이므로 $f(x)=x^2$이다.

1-3(a)

$f(x)=x^3+6x^2+9x+c$라 하자. A가 경기에서 이기기 위한 c의 범위를 구해보자. 방정식 $f(x)=0$이 서로 다른 세 개의 실근을 가져야 하므로 함수 $f(x)$의 극값들의 부호가 달라야 한다. 먼저

$$f'(x)=3x^2+12x+9=3(x+1)(x+3)=0$$

을 풀면 $f(x)$가 $x=-3$에서 극댓값, $x=-1$에서 극솟값을 가진다는 것을 알 수 있고, 서로 다른 세 개의 실근을 가지기 위하여

$$f(-1)=c-4<0, \quad f(-3)=c>0$$

임을 알 수 있다. 그러므로

$$0<c<4 \quad \cdots\cdots \quad ①$$

이다. 또한,

(i) 극솟값 $f(-1)<0$이고 $\lim_{x\to\infty}f(x)=\infty$이므로 $f(x)$는 열린구간 $(-1, \infty)$에서 적어도 하나의 실근을 갖는다.

(ii) $f(-3)f(-1)<0$이므로 사잇값의 정리에 의하여 열린구간 $(-3, -1)$에서 적어도 하나의 실근을 갖는다.

(iii) 극댓값 $f(-3)>0$이고 $\lim_{x\to-\infty}f(x)=-\infty$이므로 열린구간 $(-\infty, -3)$에서 적어도 하나의 실근을 갖는다.

열린구간 $(-5, -3)$에서 적어도 하나의 실근을 가져야 하므로 (i), (ii), (iii)에 의하여 열린구간 $(-5, -3)$에서 단 하나의 실근을 갖는다. 따라서

$$f(-3)f(-5)=c(c-20)<0$$

을 만족시켜야 한다. 그러므로 c의 범위는

$$0 < c < 20 \quad \cdots\cdots \quad ②$$

이다.

따라서 방정식 $f(x)=0$이 열린구간 $(-5,\ -3)$에서 적어도 하나의 실근을 가지며 A가 이기기 위한 c의 범위는 ①과 ②를 동시에 만족시켜야 하므로 $0 < c < 4$이다.

1-3 (b)

첫 번째, A는 c를 선택한 후에 1로 바꾼다.
두 번째, B는 a또는 b중 하나를 선택한 후 그것을 어떤 실수로 바꾼다.
세 번째, A는 B가 바꾼 계수와 남은 계수의 합이 -3이 되도록 남은 계수를 바꾼다.

위의 결과로 만들어진 삼차방정식은 다음과 같다.

$$x^3+ax^2+bx+1=0, \quad a+b=-3$$

이 삼차방정식은 서로 다른 세 실근을 가진다. 그 이유는 다음과 같다.

(i) $f(x)=x^3+ax^2+bx+1$이라고 하면 함수 $f(x)$는 닫힌구간 $[0,\ 1]$에서 연속이고

$$f(0)=1>0\text{이고} f(1)=1+a+b+1=1-3+1=-1<0$$

이므로, 사잇값의 정리에 의하여 $f(k)=0$인 k가 열린구간 $(0,\ 1)$에 적어도 하나 존재한다.

(ii) $x \to -\infty$일 때 $f(x) \to -\infty$이고 $f(0)=1>0$이므로 $f(l)=0$인 실근 l이 열린구간 $(-\infty,\ 0)$에 적어도 하나 존재한다.

(iii) $x \to \infty$일 때 $f(x) \to \infty$이고 $f(1)=-1<0$이므로 $f(m)=0$인 실근 m이 열린구간 $(1,\ \infty)$에 적어도 하나 존재한다.

그러므로 방정식 $f(x)=0$은 (i), (ii), (iii)에 의하여 서로 다른 세 실근을 갖는다. 따라서 A가 경기에서 이긴다.

10. 2021학년도 숙명여대 모의 논술

1-1. 제시문 <가>를 읽고 다음 문제에 답하시오.

1-1 (a). 자연수 n이 $n=p^k$이면 n이 완전수가 아님을 보이시오. (단, p는 소수이고 k는 자연수이다.)

1-1. (b) 자연수 n이 $n=8m$(m은 홀수)이면 n이 완전수가 아님을 보이시오.

1-2. 제시문 <나>를 읽고 함수 $f(x)$가 아래의 네 가지 조건을 만족시킬 때 다음 문제에 답하시오.

(1) $f(x)$는 구간 $[0,\ \infty)$에서 연속이다.
(2) $x>0$일 때 $f(x)$가 미분가능하다.
(3) $f(0)=0$이다.
(4) $f'(x)$는 구간 $[0,\ \infty)$에서 증가한다.

1－2 (a). $f'(x)=f(1)$이 되는 x가 존재함을 보이시오.

1－2 (b). $x>0$일 때 $g(x)=\dfrac{f(x)}{x}$라고 하면 $g(x)$가 구간 $(0,\ \infty)$에서 증가함을 보이시오.

1－3.제시문 <다>를 읽고 급수

$$\ln(1+x)+\ln(1+x^2)+\ln(1+x^4)+\cdots+\ln\left(1+x^{2^{n-1}}\right)+\cdots$$

에 대하여 다음 문제에 답하시오.

1－3 (a). 위 급수가 수렴하도록 하는 실수 x의 값의 범위를 구하시오.

1－3 (b). 위 급수의 합을 $f(x)$라고 할 때 1－3 (a)에서 구한 x의 범위에서 $y=f(x)$의 그래프를 그리시오.

1－1(a)

$n=p^k$이면 양의 약수의 총합은 $1+p+p^2+\cdots+p^k=\dfrac{p^{k+1}-1}{p-1}$이다.

n이 완전수라 가정하면 $\dfrac{p^{k+1}-1}{p-1}=2n=2p^k$이다.

따라서 $p^{k+1}-1=2p^{k+1}-2p^k$, 즉 $p^k(p-2)=-1$이다. 이때 $p=2$이면 $0=-1$이므로 모순이고, $p>2$이면 k는 자연수이므로 좌변은 p의 배수이나 우변은 p의 배수가 아니므로 모순이다. 그러므로 n은 완전수가 될 수 없다.

1－1 (b) m이 홀수이므로 n의 양의 약수들은 m의 양의 약수를 1배, 2배, 4배, 8배한 수이다. 따라서 m의 양의 약수의 총합을 $f(m)$이라 하면 n의 양의 약수의 총합은 $(1+2+4+8)f(m)=15f(m)$이다. 따라서 n이 완전수라면 $15f(m)=16m$을 만족시킨다. 그러므로 m은 15의 배수이다. $m=15k$로 두면 $f(m)=16k$이다. 여기서 $k\geq 1$이므로 k, $3k$, $5k$, $15k$가 모두 서로 다른 m의 양의 약수이고 $f(m)\geq k+3k+5k+15k$가 되어 모순이다. 따라서 n은 완전수가 아니다.

1－2 (a)

함수 $f(x)$가 조건

(1)과 (2)를 만족시키므로 닫힌구간 $[0,\ 1]$에서 연속이고 열린구간 $(0,\ 1)$에서 미분가능하다. 따라서 평균값 정리에 의하여 $\dfrac{f(1)-f(0)}{1-0}=f'(x)$가 되는 x가 열린구간 $(0,\ 1)$에 적어도 하나 존재한다. 조건 (3)에 의하여

$$f(1)=f(1)-f(0)=f'(x)$$

이다. 그러므로 $f'(x)=f(1)$가 되는 x가 존재한다.

1−2 $g(x)$가 $x>0$에서 증가함을 보이기 위하여 $x>0$일 때 $g'(x)>0$임을 보이면 된다. $g'(x)=\dfrac{xf'(x)-f(x)}{x^2}$이고 $x^2>0$이므로 $xf'(x)-f(x)>0$이면 $g'(x)>0$이다. 따라서 $g'(x)>0$을 보이기 위하여 $x>0$일 때 $xf'(x)-f(x)>0$을 보이면 된다. 함수 $f(x)$가 조건 (1)과 (2)를 만족시키므로 닫힌구간 $[0,\ x]$에서 연속이고 열린구간 $(0,\ x)$에서 미분가능하다. 따라서 평균값 정리에 의하여 $\dfrac{f(x)-f(0)}{x-0}=f'(y)$가 되는 y가 열린구간 $(0,\ x)$에 존재한다. 위의 식을 정리하면

$$f(x)-f(0)=xf'(y)$$

이다. 이때 $y<x$이므로 조건 (4)에 의해 $f'(y)<f'(x)$이다. 조건 (3)에 의해 $f(0)=0$이므로 $f(x)=f(x)-f(0)=xf'(y)<xf'(x)$이다. 따라서 $xf'(x)-f(x)>0$이므로 $g'(x)>0$이다. 그러므로 $g(x)$는 $x>0$에서 증가한다.

1−3 (a)

$S_n=\ln(1+x)+\ln(1+x^2)+\ln(1+x^4)+\cdots+\ln\left(1+x^{2^{n-1}}\right)$으로 두자.

$S=\lim\limits_{n\to\infty}S_n$가 수렴하도록 하는 실수 x의 값의 범위를 구하면 된다.

$$\begin{aligned}S_n&=\ln(1+x)+\ln(1+x^2)+\ln(1+x^4)+\cdots+\ln\left(1+x^{2^{n-1}}\right)\\&=\ln(1+x)(1+x^2)(1+x^4)\cdots\left(1+x^{2^{n-1}}\right)\\&=\ln\left(1+x+x^2+x^3+\cdots+x^{2^n-1}\right)\end{aligned}$$

그리고 $T_n=1+x+x^2+x^3+\cdots+x^{2^n-1}$이라고 하자.

$$T_n=\begin{cases}\dfrac{1-x^{2^n}}{1-x} & (x\neq 1)\\ 2^n & (x=1)\end{cases}$$

이로부터 $|x|<1$에 대하여 $\lim\limits_{n\to\infty}T_n=\dfrac{1}{1-x}$가 성립한다. 그러므로 $|x|<1$에 대하여 S가 수렴 한다.

별해: 제시문 <다>에서 주어진 풀이를 이용하여 다음과 같이 답을 구할 수도 있다. 제시문 <다>에서 주어진 식

$$\ln\left(1-\frac{1}{x}\right)\left(1+\frac{1}{x}\right)\left(1+\frac{1}{x^2}\right)\left(1+\frac{1}{x^4}\right)\cdots\left(1+\frac{1}{x^{2^{n-2}}}\right)=\ln\left(1-\frac{1}{x^{2^{n-1}}}\right)$$

에 $x=\dfrac{1}{t}$을 대입하면

$$\ln(1-t)(1+t)(1+t^2)(1+t^4)\ldots\left(1+t^{2^{n-2}}\right)=\ln\left(1-t^{2^{n-1}}\right)$$

을 얻는다. 따라서

$$\ln(1+t)(1+t^2)(1+t^4)\ldots\left(1+t^{2^{n-2}}\right)=\ln\left(1-t^{2^{n-1}}\right)-\ln(1-t)$$

이다. 그러므로 제시문 <다>의 결과를 이용하면 $|t|<1$**에 대하여 주어진 급수가 수렴한다.**

1−3 **(b)**

1−3 **(a)의 풀이에서** $|x|<1$**에 대하여** $f(x)=-\ln(1-x)$**임을 얻는다.**

$$f(x)=-\ln(1-x)\ \ (|x|<1)$$

$$f'(x)=\frac{1}{1-x}>0$$

$$f''(x)=\frac{1}{(1-x)^2}>0$$

을 만족시킨다. 또한 $\lim_{x\to1-}f(x)=\infty$**이므로** $y=f(x)$**의 그래프는 그림과 같다.**

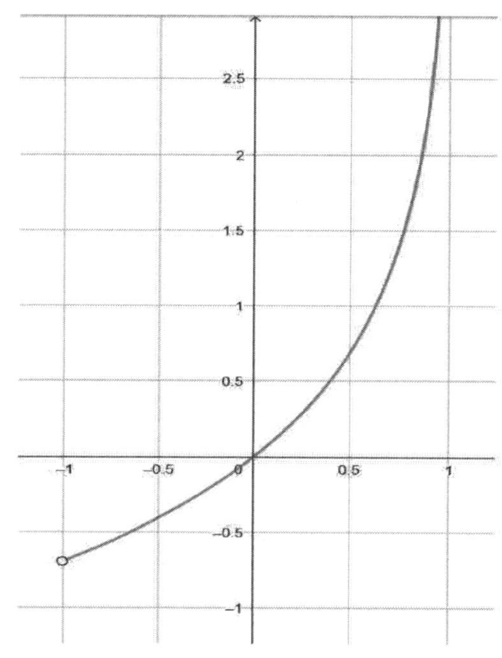

별해: $f(x)=-\ln(1-x)$**의 그래프는** $y=\ln x$**의 그래프의 대칭성을 이용하여 미분을 이용하지 않고 그릴 수도 있다.**